MARGUERITE

Jacky Durand

MARGUERITE

Roman

ÉDITIONS FRANCE LOISIRS

Édition du Club France Loisirs,
avec l'autorisation des Éditions Carnets Nord.

Éditions France Loisirs,
31, rue du Val de Marne, Paris.
www.franceloisirs.com

© Carnets Nord, 2017

ISBN : 978-2-298-13734-7

Août 1944

Marguerite ne sourit pas, Marguerite ne pleure pas non plus. Elle fixe juste l'objectif du photographe. Un regard qui vous transperce comme un surin d'Apache. Deux yeux noirs et ronds comme des boutons de bottines avec des pupilles qui brillent qu'on les dirait lustrées avec des crachats de haine. Pensez donc, elle a couché avec les Allemands, Marguerite. C'est écrit en gros sur son front et ses joues : trois croix gammées peintes avec le trait épais et gras du goudron encore tout frais. Et puis on lui a tracé aussi une moustache d'officier d'opérette qui lui donne un air de Mardi Gras. L'une des branches de la croix gammée peinte sur son front déborde sur le sommet de son crâne mis à nu et désormais ourlé d'un minuscule duvet que l'on devine nettement sur ce cliché vieux de soixante-neuf ans. C'est qu'on l'a tondue, Marguerite. Comme une brebis lourde, un bat' d'Af, un balafré, un bagnard, un pouilleux.

On imagine un jeune gars un peu plus dégourdi que les autres sortant de la foule furieuse pour monter sur l'estrade où l'on a assis de force Marguerite sur une chaise paillée. Il veut s'emparer de la tondeuse du coiffeur qui, son mégot à la commissure des lèvres, s'apprête à peler son épaisse tignasse acajou. Le môme crie qu'il veut venger son frère tué au maquis en lui massacrant la tête. Le coiffeur le repousse doucement. Il faut que le travail soit bien fait. Par un merlan qui en a ratiboisé, des régiments de boches, avant de s'attaquer à celles qu'ils ont baisées. La tonte sera minutieuse, appliquée. Le crâne de Marguerite sera poli avec soin, ses mèches de cheveux tomberont régulièrement à ses pieds tandis que la populace hurlera avec régularité « Putain », « Sale boche », « Traînée de schleu ».

Que pensais-tu, Marguerite, au milieu de ces mâles puant la sueur, le gros tabac et la piquette ? Que pensais-tu dans ta robe à petites fleurs mauves et blanches que tu t'étais cousue dans du tissu acheté en août 1939 et que tu avais conservée précieusement durant les quatre années d'occupation ?

Ce jour-là, personne ne s'avise de traiter Marguerite de « collabo ». Ça, c'est pour les boutiquiers de la rue nationale : le père Auguste qui disait « honneur aux vainqueurs » en faisant défiler en premier les officiers allemands devant ses mottes de beurre et ses rangées de saint-marcellin ; les époux Rollet qui réservaient le veau de la Pentecôte pour la Kommandantur ; les frères Charlier qui ont fait fortune dans le négoce de la ferraille avec l'occupant. Ces tauliers-là, ils ne sont pas passés à la tondeuse. Désormais, on se contente de scruter l'intérieur de leurs commerces quand on passe devant leur vitrine. On baisse la voix comme si leurs fricotages encore tout frais inspiraient toujours la crainte. Les gonzesses, en revanche, on est allés les chercher bien vite quand les Allemands ont déguerpi.

Une poignée de jours après la libération de la ville, trois gars attendent Marguerite à la sortie de l'usine. Sa copine Raymonde, qui est dans la Résistance, tente bien de repousser le comité d'accueil mais une grosse brute avec un brassard crasseux la menace : « Si tu continues, toi aussi, tu vas finir en putain. »

Les gars lui font enlever ses chaussures à grosse semelle de bois parce que, disent-ils, « une traînée ne reste pas juchée ainsi ». Marguerite sent le pavé froid et humide de la ruelle d'Enfer où son escorte va chercher une petite blonde geignarde. On l'entend hurler jusqu'à la collégiale : « Pas mon bébé, pas mon bébé, pas mon bébé ! » Elle bondit dans la rue où le type au brassard crasseux brandit un bambin hilare d'être ainsi chahuté : « Rigole, avorton de boche, tu rigoleras moins quand ta mère sera chauve. » Là, la boulangère d'en face sort sur le pas de sa porte et gronde : « Laissez ce gosse tranquille, il est déjà assez puni d'être né ainsi. » Puis elle s'empare du môme en lui fourrant dans le bec une croûte de pain. Un attroupement se forme autour de Marguerite et de Josette. Des jeunes, des vieux, des agents de ville, des résistants dont on ne sait s'ils sont de la première ou de la vingt-cinquième heure. Ça piaille, ça caquette, ça commente, ça suppute : « Est-ce que l'on va les juger ? Les emprisonner ? Les fusiller ? » « Non, on va les tondre », répète calmement un père de famille. Le cortège grossit au fur et à mesure qu'il se rapproche de la place de l'Hôtel-de-ville. L'esplanade est écrasée par le soleil d'août, l'air est épais, brûlant les nuques et les fronts des badauds qui s'agglutinent devant le frontispice Renaissance de la mairie où l'on plaque les deux femmes. On amène un drapeau tricolore à la manière d'un crucifix que l'on présenterait à un mourant. « Honneur au drapeau, espèces de salopes ! » braille un gaillard. Marguerite s'incline machinalement, hésitante, reçoit une méchante taloche sur la tempe qui la fait se vautrer dans le tissu bleu, blanc, rouge. Quelqu'un hurle dans la foule « À mort ! », Josette ressemble à une biche traquée tandis que l'on approche les deux femmes de l'estrade où se tient le coiffeur. C'est là qu'un homme prend les choses en main. Il doit avoir la bonne cinquantaine, porte un pantalon de charpentier et une large ceinture de flanelle. Cou épais comme un rondin de chêne, pommettes hautes tannées par le soleil, il impose une puissance tranquille contrastant avec la fébrilité de la foule. Il s'empare doucement du bras droit de Josette qui le dévisage tandis qu'ils accèdent à l'estrade. « Ils vont te raser. Rien d'autre », fait l'homme en appuyant sur les épaules de Josette pour la contraindre à s'asseoir. Elle plonge dans un long sanglot muet tandis que ses cheveux blonds s'éparpillent sur les planches. Elle ne peut voir Marguerite qui, avant la tonte, se fait enduire de goudron. D'abord le visage avec des croix gammées. Puis un escogriffe rouquin propose de lui maculer les seins. Le temps que le col de sa robe à petites fleurs soit déchiré, l'homme qui escorte Josette dévale l'estrade pour se placer entre Marguerite et son tourmenteur et gronde :

« Non, ça suffit.

— Dis donc Humblot, tu veux la sauter ? » lance le rouquin sur un air de défi.

Ledit Humblot se retourne lentement et lui explose le nez de son poing droit qu'il a comme une massue. L'escogriffe chancelle avant de prendre à pleines mains son tarin qu'il a éclaté comme une grenade trop mûre. Les badauds ont fait cercle autour de Marguerite et de Humblot qui balaie du regard la foule : « Le premier qui me traite de collabo, je lui fais creuser sa tombe. J'ai sauvé plus de vies en étant flic durant l'Occupation que certains trous du cul qui se prétendent de la Résistance. » Il tient Marguerite par le poignet droit avec un drôle de mélange de prévenance et de poigne qui le surprend lui-même. « Allez, on y va », fait-il, embarrassé. Marguerite tente tant bien que mal de rassembler les restes du col de sa robe tandis que le goudron lui brûle le visage.

Les rares témoins encore vivants à ce jour qui vous diront avoir croisé son regard durant cette scène sont de fieffés menteurs. Car d'où que l'on soit placé durant la poignée de minutes que dure la tonte, personne ne peut entrer dans le mystère de Marguerite. Elle est hors de ce monde, ailleurs, sans que l'on puisse savoir s'il s'agit du vide d'une petite mort ou d'un repli inaccessible sur soi-même. À quoi t'accroches-tu pour survivre ainsi, Marguerite, face à cette meute hilare de te voir ainsi tondue comme une brebis et tatouée comme une cularde qui s'en va à l'abattoir ? Aux êtres que tu as aimés ? À ces confettis de bonheur qui ont résisté à l'érosion du temps ? À l'espoir ténu de te faire oublier ? Toujours est-il que tu restes imperméable à l'avanie, tête légèrement inclinée sur l'avant, nuque rigide, les bras croisés sur ta maigre poitrine et le tissu abîmé de ta robe qui se froisse comme du papier de soie. Josette te tourne le dos, on l'a placée à l'avant-scène où elle ressemble à une marionnette désarticulée, les bras ballants. Une grosse voix de femme lui crache : « J'espère que t'en as pas un autre dans le ventre. Sinon, on va te le faire sauter. » Josette ferme les yeux, dodeline en soufflant « pas ça, pas ça, pas ça… ».

Quand Marguerite est devenue glabre comme un œuf, elle relève brusquement la tête. Il y a du défi dans son mouvement, un culot monstre qui semble vouloir dire : « Vous m'avez voulue ainsi, eh bien regardez-moi maintenant. » La foule est pétrifiée par ses yeux de jais dont chacun des badauds a l'impression d'être pénétré, les tripes vrillées par ce regard qu'il ne peut soutenir. Même les plus va-t-en-guerre déposent l'arme au pied, mal à l'aise, voire inquiets. Un murmure embarrassé parcourt la place où l'on parvient à attraper quelques bribes : « Voilà, c'est fait » ; « Qu'elles partent maintenant » et même « Ça ramènera pas les morts ». Seuls quelques mômes balancent vaguement des noms d'oiseaux dans la direction de l'estrade comme s'ils tiraient au jugé vers le ciel pour atteindre un invisible moineau.

Marguerite descend de l'estrade par une petite échelle de bois, sa main droite serrant le haut de sa robe sous son menton. De profil, elle ressemble à l'un de ces grands oiseaux charognards qui ont le cou et la tête déplumés. Pour la photo, on la fait mettre à genoux à l'avant d'une rangée d'hommes, plutôt jeunes, dont certains portent cartouchières et fusils. Ils sourient, insouciants comme des conscrits avant les classes. Un morceau de carton passe de main en main provoquant l'hilarité. On le place bien en vue devant les deux femmes afin qu'on puisse y lire les mots de « collaboratrices horizontales » peints en blanc. À la demande du photographe, une main relève vivement la tête de Josette qui plongeait vers le sol. Ses yeux embués cherchent le ciel tandis que sa voisine fixe, imperturbable, l'appareil photo, avec cet air tout à la fois farouche, triste et hautain qui lui fait ensuite fendre la foule avec une autorité singulière en un tel jour.

Cinq heures sonnent au clocher de la basilique, au loin l'orage gronde sur le bleu métallique de l'horizon. Des hirondelles décrivent des circonvolutions qui les amènent au ras du sol, frôlant au passage les grosses têtes des peupliers taillés en forme de trognes.

Un cortège plus clairsemé accompagne les deux femmes jusqu'au monument aux morts de la guerre de 14-18. Il faut remonter la grande rue commerçante de la ville où l'on se poste sur les trottoirs et aux balcons pour voir passer les deux « tondues ». L'ambiance n'est plus aussi électrique qu'avant le châtiment. Il y a encore quelques insultes, des ricanements, pas mal de rires gras mais surtout des silences. Une femme jette avec une mine de dégoût une pièce de monnaie trouée dans les pas nus de Josette et de Marguerite. Quand elles atteignent le foirail, Humblot leur ordonne de se rechausser pour affronter le gravier. Un méchant coup de tonnerre déchire le silence. Il se met à pleuvoir. De grosses gouttes – froides comparées à l'étuve de l'après-midi – dégoulinent sur les crânes lisses des deux femmes que l'on fait se poster de part et d'autre de la statue du poilu. Marguerite goûte sa sueur salée mêlée à la pluie qui perle sur sa lèvre supérieure et colle sa robe à sa peau. L'eau suinte également sur ses paupières alourdies par la fatigue. Elle a le plus grand mal à déchiffrer les noms sur le monument aux morts qu'on l'oblige à lire. « Rougier, Germont, Bailly, Forestier », ça ne lui dit rien, ces destins fauchés à Verdun et sur le chemin des Dames. Elle n'est pas d'ici. Josette, elle, en revanche, se fait rudement mouchée quand elle ânonne le nom d'un membre ou d'un proche de sa famille gravé dans le marbre. « Ils sont morts pour que tu naisses et vives, espèce de garce, maugrée un petit vieux. Rien que pour ça, on ne vous fusillera pas, mais vous allez en baver jusqu'au dernier tourniquet. » Il tombe désormais des cordes. Le gros des badauds va s'abriter sous le kiosque à musique. Humblot scrute le foirail, aperçoit une traction à l'arrêt et siffle entre ses deux doigts pour alerter le chauffeur. L'auto noire vient se garer tout près du monument aux morts. On y fait s'engouffrer Josette et Marguerite entre deux types portant un brassard. Humblot s'assoit à l'avant. Sous le kiosque à musique, on prédit à voix haute l'avenir des deux femmes.

« Elles vont passer à la casserole, siffle une voix de poissonnière.

— Peut-être bien qu'on va leur faire creuser leur trou, renchérit un type avec un béret vissé sur sa grosse tête.

— Rien ne se passera comme ça ; Humblot veille au grain pour que ça n'aille pas trop loin », tranche le petit vieux qui a sermonné.

La traction démarre doucement en franchissant une grosse rigole de pluie, traverse le foirail et disparaît sur l'avenue qui descend en pente raide vers le fleuve. La pluie diminue progressivement jusqu'à mourir dans un dernier sursaut qui fait ondoyer de grosses flaques d'eau laiteuse. C'est le silence qui surprend désormais après la colère des hommes. Comme s'il ne s'était rien passé en cette fin d'août 1944 dans cette sous-préfecture endormie par la chaleur. Sauf une pluie d'orage qui a déposé une odeur de mouillé sur le gravier échauffé où une petite vieille traîne les pieds dans des chaussures trop grandes. On entend le chuintement pénible de ses pas qui s'éloignent alors que monte le bruit rauque d'un char Sherman remontant du fleuve. La guerre est bien encore là.

Août 39

Marguerite s'éveille bien avant la sonnerie du réveil. Elle s'en va chercher ses lèvres comme des retrouvailles. Pierre dit qu'il n'aime pas embrasser le matin à cause du goût âcre que lui laisse le tabac froid de sa dernière cigarette juste avant de dormir. Marguerite ricane en lui mordillant la lèvre inférieure et en lui fourrant sa petite langue salée et insolente. Elle se moque de son haleine, elle veut faire monter au plus vite son désir rugueux et insouciant. Elle rabat les grands draps rêches de son trousseau derrière leurs nuques, histoire d'emprisonner l'odeur fauve de leurs corps ensommeillés. Ils s'étreignent les yeux mi-clos. Parfois, un éclair rieur traverse les paupières collées de Marguerite. Elle est en train de parler en silence à Pierre. Elle lui dit qu'il a une belle queue, qu'elle aime quand il rue entre ses cuisses comme un jeune étalon ; qu'un jour peut-être, elle lui dira tout cela à haute voix en caressant sa fossette qui enlumine son menton, mais que pour l'heure elle préfère se taire pour se coller à son grand corps qui l'aime et en capter tous les spasmes du désir, un peu comme on plaque une oreille sur un coquillage pour écouter la mer. Elle y reconnaît parfois la mélodie de sa propre jouissance quand celle-ci débarque dans les méandres de leur coït, mais tout cela lui semble si imprévisible et indomptable au regard de l'automaticité de l'orgasme de son homme. Pierre lâche prise avec une précision d'abaque des chemins de fer, une poignée de secondes avant le tintamarre de leur réveil à clochetons, ce qui fait dire – toujours dans son monologue silencieux – à Marguerite qu'il a une horloge dans la queue.

Elle a encore son souffle tiède dans le creux de l'épaule que déjà, il se retire. Elle n'aime pas cette façon qu'il a de se détendre comme un ressort en se mettant debout, la laissant souvent à mi-chemin de son plaisir. Il est pourtant si guilleret que la vue de son grand corps plein de vivacité suffit à chasser ce voile de mélancolie qui l'assombrit souvent après le désir. Pierre ouvre vivement la fenêtre et fait claquer les volets de bois contre le mur de la maison mitoyenne. Une puissante odeur de cultures maraîchères et d'herbe mouillée envahit leur chambre. Marguerite remonte le drap sous son menton. Elle épie chaque geste de Pierre comme une nouveauté. D'un bond, il est près de la table de nuit où il tasse le tabac de sa première Gitane en la tapotant sur le marbre rouge et blanc du petit meuble. Il y a d'abord l'odeur de pétrole du briquet, puis celle, chaude, du tabac brun. Les yeux clos, Marguerite guette une petite bouffée de tendresse, un baiser léger, un frôlement de lèvres ou la simple caresse des doigts calleux de Pierre. Mais il est fuyant comme un courant d'air, pressé d'avaler le seau de café qu'il fait fort à réveiller un mort. Elle lui dit qu'il a « des habitudes de vieux garçon » quand il prétend être le seul à savoir faire « un vrai jus ». Ce qui n'est pas faux. Il a les gestes assurés et économes d'un homme qui a vécu seul jusqu'au soir du 2 août 1939, quand après leur repas de mariage au Buffet de la gare, ils ont enfin pu dormir ensemble dans leur nouveau foyer.

C'est un rez-de-chaussée dans une grosse maison des faubourgs qui tourne le dos à la rue. Les pas crissent sur le gravier de la petite allée qui mène à la porte vitrée où Marguerite a accroché des rideaux de cretonne. On entre de plain-pied dans une vaste cuisine où l'évier est disposé sous la fenêtre ; le fourneau et le coffre à bois occupent, à droite, un espace sombre qui a dû être l'emplacement d'une ancienne cheminée. Pierre a bricolé une petite table pour eux deux avec du bois récupéré à l'usine. Marguerite la lui a fait placer à gauche de la pièce contre le mur qui sépare la cuisine de leur chambre. Ils y prennent tous leurs repas en tête à tête. Marguerite convoque dans ces instants-là des mises en scène qui n'en finissent pas d'étonner Pierre. Un soir, elle éteint la grosse lampe à contrepoids qui pendouille au centre la pièce pour allumer deux chandelles qu'elle dépose devant leur souper. Une autre fois, à quatre heures et demie, au sortir de l'usine, il trouve la table de la cuisine entièrement recouverte de mauves, de marguerites, de soucis, d'œillets de poète joliment agencés autour du bol de café au lait qu'il boit d'un trait pour se nettoyer des poussières de la fonderie. Mais ce qui l'a le plus marqué durant leurs quatre semaines de vie commune, entre le 2 août 1939 et l'entrée en guerre contre l'Allemagne, c'est ce soir de pluie où elle lui demande de faire du feu dans la cuisinière. Ce jour-là, elle ne veut pas de lui au réveil. Elle sent venir ses règles comme une bouffée d'énervement triste, mais « ça ne se dit pas à un homme » comme lui avait répété sa mère quand elle était devenue une femme.

À quatorze ans, un matin de novembre où la bise sifflait entre les persiennes de sa chambre, Marguerite avait senti son ventre tout chamboulé. Elle redoutait l'instant où il lui faudrait repousser le drap, relever sa chemise de nuit et contempler son entrecuisse. Elle s'était blottie comme un petit enfant dans le creux de son matelas, avait agrippé l'épaisse couverture pourpre surpiquée et tenté de faire le point sur ce qui s'imposait pour elle comme une catastrophe annoncée. Car jamais sa mère ne lui avait parlé des menstrues et Marguerite rangeait ce silence parmi les tabous familiaux avec les enfants mort-nés, les filles-mères et les cocuages. Au fond de son lit, elle avait songé à Éliane, sa copine de l'école ménagère qui lui racontait ses premières règles en reprisant une chaussette. « Tu verras, on en fait tout un monde mais c'est pas si terrible. L'important, c'est de bien se garnir et puis mets-toi une bouillotte ou une brique chaude sur le ventre si t'as mal. » Au mot « garnir », Marguerite avait entrevu des flots de sang, son effroi avait tué sa curiosité. Mais là, ce matin où son corps lui signifiait la fin de l'enfance, elle s'accrochait au souvenir des mots d'Éliane comme on attrape une branche de noisetier quand on glisse sur l'herbe mouillée d'une berge de rivière. Le jour n'était pas encore levé mais elle entendait sa mère vider le cendrier de la cuisinière et froisser un bout de journal sous le petit bois disposé dans le foyer. Marguerite s'était dit qu'elle attendrait les premiers crépitements du feu pour relever drap et couverture. Mais quand lui étaient parvenus les premiers effluves du rondin de chêne en train de brûler, elle avait repoussé encore l'échéance. Dehors, la porte du poulailler avait grincé. Son père était en train de nourrir poules et lapins. Le silence qui avait suivi lui avait paru insupportable. Alors, elle avait compté dix battements de son cœur en retenant sa respiration, s'était assise vivement et, dans une puissante inspiration, avait découvert son bas-ventre et contemplé un mince filet brun sur le drap blanc. Elle s'était sentie soulagée par cette perte minuscule, elle qui redoutait d'être désormais vidée de son sang chaque mois. Elle s'était empressée d'enfiler une large culotte de coton bourrée de mouchoirs.

Les jours suivants, Marguerite avait caché le linge souillé au fond de son armoire mais son empressement à vouloir faire la grande lessive hebdomadaire toute seule alerta sa mère. Finaude, elle avait soulevé le couvercle de l'imposante lessiveuse qui frémissait sur la cuisinière et avait découvert une serviette rosie par le sang qu'elle avait brandie devant sa fille. « C'est pas ce genre de pattemouille qu'il te fallait. Alors, ça y est, c'est fait, t'aurais pas pu me le dire ? » avait grommelé la mère. Marguerite, muette, triturait machinalement le cordon de son tablier, indifférente aux mots qu'elle venait d'entendre, tellement elle les avait envisagés ainsi quand elle imaginait sa mère découvrant ses premières règles. Les différents âges de sa jeune vie semblaient autant de stations de calvaire pour sa mère. Aussi loin que Marguerite se souvenait, sa mère n'avait jamais manifesté la moindre réjouissance, encore moins de plaisir, à voir grandir sa fille. Son éducation lui semblait un morne devoir dépourvu de sentiments.

Ainsi, ce soir d'août, où Pierre rassemble des brindilles pour le feu, elle agrippe son bras comme si elle voulait se rassurer sur leur attachement. Il se retourne doucement. « Tu veux ?

— Rien », souffle-t-elle.

Il hausse les épaules. Il ne remarque ni ses prunelles brillantes, ni cette gravité qui ourle son « rien ». La guerre va frapper à leur porte, Marguerite le sait, Pierre sait qu'elle sait mais ils n'en parlent pas. Le silence est la plus supportable des complicités. Elle se lève pour aller dans leur chambre et en ramener la grosse couverture pourpre qu'elle étale soigneusement devant la cuisinière qui tiédit. « On va dîner sur l'herbe », s'exclame Marguerite. Elle sort sa vaisselle de fête, assiettes fleuries pour le jambon persillé et verres à pied pour le côte de Beaune. Elle dépose également sur la couverture la cloche à fromages qu'elle soulève pour trancher un chèvre. Elle en tend une lichette sur la pointe de son couteau à Pierre qui, assis sur une chaise, semble désemparé par toute cette mise en scène. Elle lui désigne la grosse boule de mailles de fer du panier à salade sur la pierre de l'évier. « Va donc essorer la salade dehors. » Jamais, auparavant, il n'a entendu une femme commander une tâche domestique à son mari.

Gamin, il attendait son père au garde-à-vous pour les repas tandis que sa mère veillait sur la casserole avec l'angoisse que « cela attrape », comme elle disait, quand son père rentrait tard. L'ivresse du Pernod lui faisait le regard vitreux et menaçant sous sa casquette de sergé quand il pénétrait, sans un mot, dans la cuisine où il s'installait en bout de table. La mère de Pierre s'empressait de le servir mais, les jours de paie arrosée, il suffisait d'une côte de porc trop sèche ou d'un fil dans un haricot vert pour qu'il envoie valdinguer son assiette devant ce petit bout de femme, stoïque et fermée, qui ramassait en silence les morceaux tandis que le père claquait la porte pour s'en retourner au bistrot. Pierre restait accroché à sa pomme ou triturait son pain perdu parce que sa mère lui interdisait de se mêler de ce désastre. Elle disait que c'était « son » destin, que son père n'avait pas toujours été comme ça, qu'il était « gentil garçon » avant l'apocalypse de Verdun, la boucherie du chemin des Dames, son œil perdu et la mitraille qui avait grêlé sa joue droite. Longtemps, il n'en avait pas cru un mot. Au contraire, il exécrait d'autant plus cette vaine tentative de réhabilitation que sa mère prenait des beignes sous les noms d'oiseaux.

Un soir de janvier 1936 – il venait d'avoir vingt et un ans, Pierre épluchait les pommes de terre de la soupe pour soulager sa mère qui était à la peine. Souffrant d'un méchant lumbago, elle s'était calée dans un fauteuil en osier adossé à la cuisinière. Le poêle ronronnait doucement, il y avait du givre à la fenêtre. Mère et fils savouraient cette torpeur silencieuse quand une lame de froid avait traversé la cuisine avec le père qui poussait la porte. Il avait marqué un arrêt devant les pluches avant de tonner : « Ta mère a rien d'autre à foutre ? C'est toi qui fais la bonniche. » Il empestait le gros rouge. Tandis qu'il tournait le dos pour accrocher sa vareuse à une patère, la mère de Pierre voulut lui reprendre le couteau économe. Mais le fils éloigna sa main droite en faisant « non » de la tête. Le père revint vers la table, son pas était lourd et traînant sur le carrelage. « Bonniche que t'es, tapette à sa maman. Rends-lui son ouvrage, à la vieille. » Pierre continua d'éplucher une grosse bintje flétrie. « Rends-lui que je te dis », haussa le vieux. La mère s'était levée pour recharger le poêle et s'en revint péniblement vers la table en s'appuyant sur le dossier d'une chaise. « Laisse, je vais faire », souffla-t-elle. Pierre l'ignora et attaqua une nouvelle patate. Puis tout alla très vite : le père abattit sa grosse pogne sur la table en hurlant : « Tu vas lui rendre ! » Sans lever les yeux de son ouvrage, Pierre entailla d'un petit coup sec de couteau la main droite de son père, entre le pouce et l'index. Le vieux resta figé par la surprise, sa lèvre inférieure trembla quand il tenta, en vain, d'émettre un son. Pierre s'était levé à reculons pour se placer devant sa mère qui sanglotait doucement. Il haït sa plainte étouffée, alors qu'il venait de faire justice après toutes ces années d'enfer. Une bouffée de dédain et de mépris l'envahit à la vue de ce tyran, soudain pitoyable, qui cherchait la place du torchon de cuisine pour éponger sa main ensanglantée en râlant « Je fous le camp, je fous le camp » avant de claquer la porte sur un épais rideau de brouillard givrant.

La mère et le fils restèrent attablés, silencieux. Les yeux immobiles, le regard dans le vide, Pierre était déjà en partance pour l'inconnu. Il se voyait demander son compte à l'atelier, acheter un billet de chemin de fer troisième classe. Puis une grosse fatigue l'écrasa, il s'effondra sur la table.

Sa mère tritura longtemps un mouchoir jusqu'au moment où elle se leva. Il l'entendit soulever le couvercle d'une boîte métallique, farfouiller et revenir déposer quelque chose près de lui. Quand elle fut montée dans sa chambre, il leva les yeux sur une photographie sépia. On y voyait son père posant fièrement devant une mitrailleuse. Au dos, il était écrit : « Bourges, 1916, stage de mitrailleur. Je pense beaucoup à toi et au petit. Je vous aime. »

Pierre frissonne en secouant le panier à salade. Jamais il ne lèvera la main sur Marguerite. Elle rit de sa gaucherie, lui désignant les feuilles de laitue qu'il sème sur le gravier de la cour. Il revient en trombe, rugit en faisant des grands moulinets avec son panier à salade. Dehors, il se met subitement à pleuvoir. Une pluie chaude d'été qui vient de crever l'obscurité. De fines gouttelettes dégoulinent sur le visage de Pierre. Marguerite l'enlace et baise ses pommettes : l'eau est salée.

Septembre 39

Quelle heure peut-il bien être ? Cinq heures ? Six heures ? Marguerite vient de s'éveiller tout au bord du lit. Du côté gauche, son côté à elle. Depuis que Pierre a été mobilisé, elle se refuse à occuper toute la surface du matelas. Elle déteste cette couche depuis qu'elle n'a plus la chaleur de ce grand corps d'homme contre son dos. Le premier soir qu'il est parti, elle a tiré la grosse couverture pourpre sur le plancher pour s'y enrouler comme une naufragée. Désormais, elle entre dans leur lit sur la pointe des pieds. Tout l'insupporte dans cette chambre à coucher déserte : la penderie massive et austère, les affreux médaillons du papier peint, ce miroir qu'elle évite comme la peste quand elle range son linge dans l'armoire à corniche. Savoir qu'en refermant la porte où est accrochée la glace, elle se retrouve face à son seul visage la mine. Elle a beau convoquer le souvenir du jour où Pierre fut si fier d'acheter comptant leur chambre à coucher, cela ne suffit plus à l'apaiser. Quand son homme est parti, elle a cru pouvoir s'accrocher à leur logis commun pour supporter son absence. Mais c'est le vide et le silence qui se sont engouffrés entre les murs. Tout est devenu froid, inanimé. Marguerite se sent étrangère chez elle. Elle ne reconnaît plus le parfum de sa lessive qui bout sur la cuisinière ; tout ce qu'elle empoigne pue le rance.

Gamine, Marguerite était entrée dans la maison d'une voisine, la mère Clément, qui venait de mourir. On y sentait la même odeur de renfermé que chez elle. Quelque chose de fade et sucré à la fois, qui lui avait donné un haut-le-cœur quand elle avait embrassé la joue glacée de la petite momie grise, enfouie dans le creux de son lit dont dépassait seulement une paire de mains jointes.

Même les objets sont devenus hostiles et laids pour Marguerite. Hier soir, elle a renversé dans un grand revers de colère le pot à tabac de Pierre. Puis, rageusement, a balayé les miettes de gris avant de les jeter au feu où elles ont libéré une âcre fumée. En fait, elle enrage de ne plus contempler ses gestes paisibles du soir, quand après le souper, il se roulait une grosse cigarette qu'il fumait les yeux mi-clos tandis qu'elle faisait la vaisselle, le dos tourné. Cette nuit, Marguerite s'en est pris au réveil. Elle ne supporte plus son tic-tac qui scande leur séparation. Il y a une forme d'inexorabilité, de résignation dans les oscillations mécaniques du temps. Elle aurait pu ne plus le remonter pour faire cesser le bruit. Mais cela aurait été une autre petite mort. Alors, cette nuit, quand Marguerite s'est réveillée au son du réveil, elle l'a jeté bien au fond de la table de nuit. De toute façon, il ne sonne plus depuis le début de la guerre. À quoi bon se réveiller au petit matin quand il n'y a plus son regard rieur pour vous débusquer sous les draps ? Pourtant, elle ouvre les yeux alors que six heures sonnent sourdement au bout du faubourg. Elle repousse la couverture sur ses seins et sent l'air humide venir lui glacer le bout du nez et les tétons. Elle ne s'est toujours pas décidée à changer les draps depuis le départ de Pierre. Elle se revoit les reniflant comme une chienne perdue, une môme en pleure, une amante délaissée à la recherche de la plus petite parcelle de lui, d'un poil, d'un cheveu, d'une tache de son sperme séchée, d'un reste de sueur imprégné dans le coton rêche.

Combien de fois a-t-elle frémi en songeant à cette chasse morbide aux reliques, à ces mèches d'enfants morts que sa mère et ses tantes conservaient dans des médaillons accrochés à leurs cous. Marguerite s'effraie et enrage de ce manque trop grand pour la seule absence d'un vivant, de son impuissance à le maîtriser, à le supporter. Ce matin, c'est toute la literie qu'elle expulse soudainement de la chambre et abandonne en tas au pied de la cuisinière dont elle bourre frénétiquement de petit bois le foyer. Avant de mettre la lessiveuse sur la fonte qui tiédit déjà. Elle veut des draps immaculés, qui « sentent le propre », comme lui disait sa mère quand elle vérifiait ses premières lessives. Certes, ce n'est pas le signe d'une autre vie qui commence, mais Marguerite se dit qu'elle est en train de couper un bout de peau morte en lavant ces draps qui ont connu leurs étreintes de jeunes mariés.

Un jour laiteux transparaît par l'œil-de-bœuf au-dessus de l'évier. Marguerite se penche pour apercevoir la fine pellicule de brume qui court au-dessus du jardin. Au fond, derrière les groseilliers à maquereaux, une lueur perce à l'une des deux fenêtres de la maisonnette occupée par une petite vieille racornie que le voisinage appelle « Madame Germaine ». Sa peau est jaune comme les phalanges de Pierre teintées par le tabac. Elle semble ne jamais dormir ni ne connaître d'autre repos : ce n'est pas tant à cause de cette lumière qui tremblote jusqu'au cœur de la nuit dans sa maisonnette ; ni de sa porte qu'elle ouvre dès l'aube. Non, ce qui hante Marguerite, c'est son ombre chétive mais terriblement tenace, comme une touffe de chiendent qui s'accroche à son regard à toute heure. Elle est partout : aux feuillées, au jardin, au bûcher, au poulailler, dans la cour qui donne sur la rue. C'est comme une poussière agaçante dans son œil depuis le départ de Pierre. Car elle a beau fouiller dans leur mois de vie commune, elle n'a pas le souvenir d'une telle omniprésence.

Au premier matin de leur vie commune, quand Pierre a ouvert les volets de leur chambre, elle a aperçu un tablier bleu penché sur un rang de haricots verts. « C'est Germaine, elle est gentille, a soufflé Pierre. Elle nous a laissé des œufs sur la margelle du puits. » Dans la journée, alors qu'ils s'étaient assis sur le seuil de leur porte d'entrée, la vieille avait affiché un sourire bienveillant en leur présentant « tous ses vœux de bonheur ». Elle était veuve de cheminot. Leur fils unique avait été tué en 1918 dans la Marne. Elle avait répété plusieurs fois : « Pourvu que vous ne viviez pas ça, mes petits », en hochant la tête. Jusqu'à la déclaration de guerre, elle avait psalmodié cette complainte quand elle croisait le jeune couple. Marguerite tirait un mauvais augure des gémissements de Germaine qui lui inspiraient des bouffées de colère. « Elle est gentille, elle est gentille », répétait Pierre.

Quand il est parti à la guerre, la vieille a voulu l'embrasser. Marguerite a senti son regard dans leur dos quand ils ont quitté la maison pour le centre de mobilisation. Elle était là encore derrière ses rideaux de dentelle quand Marguerite est revenue, seule, et s'est claquemurée. Depuis, il ne se passe pas un jour sans que la vieille lui rappelle directement ou d'une façon détournée sa solitude. Elle guette Marguerite quand elle va au jardin, attend qu'elle s'empare d'une pioche pour désherber, ou soit en train de couper les gourmands des tomates, pour s'approcher avec une mine compassée. « Vous seriez mieux de faire ça à deux, hein ? », risque Germaine. Marguerite, fermée, continue de piocher en silence la terre noire. « C'est pas à vous de vous esquinter tout le temps de la sorte avec le fossou, insiste Germaine. Faudrait pas vous faire un tour de rein, vous seriez bien montée toute seule. » Elle ruse face au mutisme de la jeune femme en posant une question appelant une réponse. « Vous avez eu des nouvelles ? » Marguerite s'appuie sur le manche de sa pioche pour se lever et fait « non » de la tête avant de couper court à l'échange : « Si j'avais reçu une lettre, je vous l'aurais déjà dit. » Marguerite n'en pense pas un mot, mais c'est la seule façon qu'elle a trouvé d'éloigner la vieille.

« Bon, je vais mettre mes haricots au sel, marmonne Germaine, si vous avez besoin de quelque chose…

— Merci », tranche sèchement Marguerite.

Elle soupire et enfonce rageusement sa pioche dans le sol. La guerre lui a pris son homme, la prive de cette présence qui confortait son statut de femme mariée et éloignait les importuns. Là, elle se sent redevenue une grande adolescente, au mieux une petite fiancée dans le regard des anciens.

À l'automne 38, elle s'était disputée avec sa mère qui l'accusait d'avoir mal reprisé une chaussette. Marguerite avait bondi quand elle l'avait vue défaire les fils de son raccommodage.

« Tu recommences, avait ordonné sa mère. Tant que tu es sous mon toit, c'est moi qui commande.

— J'en ai plus pour longtemps, avait rétorqué sa fille.

— Ah, c'est pour ça que tu la veux, ta bague au doigt, tiens, tu l'auras », avait crié la mère en enfonçant la pointe de ses petits ciseaux de couture sur toute la longueur de la chaussette en ajoutant : « Tiens, ça te fera de l'ouvrage. »

Marguerite, elle, avait tenté de s'apaiser en comptant les mois qui la rapprocheraient de Pierre et en farfouillant dans sa boîte à couture où elle avait toujours un de ses boutons de culotte qu'elle avait arraché un soir, dans un grand rire, avec les dents.

Sept heures sonnent au clocher du quartier. Marguerite est vissée à son bol de café qui a refroidi. Elle écoute le clapotis de l'eau qui bout dans la lessiveuse. Elle se sent perdue face à la béance du temps. Quand Pierre était là, elle n'avait pas assez de son turbin à l'usine à lui pour venir à bout de son ouvrage quotidien. La cuisine, le jardin, le ménage, il était vite quatre heures de l'après-midi pour se laver la figure, passer une blouse propre et s'humecter de deux gouttes de Soir de Paris. Après sa frénésie ménagère, le rythme semblait se relâcher dans une douce quiétude, filant en pente douce vers le soir et les allées du jardin où ils se donnaient la main. Marguerite aurait voulu que cette insouciance entre chien et loup ne finisse jamais, que le temps reste suspendu dans cette pénombre grandissante où Pierre caressait la pointe de ses seins en murmurant, sur un ton presque enfantin, « J'ai faim ». Il leur arrivait ainsi de faire un détour sous la lourde couverture surpiquée avant de s'offrir un verre de vin frais et de croquer dans deux grosses tomates pleines de la chaleur d'août.

Marguerite compte les miettes de cette tranche de pain qu'elle a à peine grignotée. Il lui faut maintenant s'inventer un emploi du temps pour s'occuper. La lessive, donc. Mais ça ne suffira pas. Elle va aussi mettre des haricots au sel en bouteilles, ça fera des conserves tout de suite disponibles quand son homme reviendra de la guerre. Et puis mettre des haricots en bouteilles, comme un goutte-à-goutte. Compter les cosses, c'est saoulant, mais ça évite de penser. D'abord équeuter les haricots, ôter les fils, les laver, les blanchir à l'eau bouillante, les sécher sur des torchons. Puis les enfiler, un à un dans des bouteilles propres en les rangeant avec soin. Marguerite a l'impression qu'elle va vider la mer à la petite cuillère, alors que son homme est peut-être en train de se faire tuer sur la ligne Maginot. Mais elle n'a pas d'autre solution pour faire passer le temps que de se plonger dans des tâches répétitives.

S'assommer, s'abrutir, s'assoupir dans la monotonie, les habitudes. Ravauder, frotter, laver, briquer, piocher, cueillir, éplucher, émincer, ciseler, fricasser. Et surtout ne pas penser à Pierre avec ses affreuses bandes molletières, sa vareuse trop grande, le bruit affreux des clous de ses brodequins sur le pavé. Elle tasse avec rage le linge fumant dans la lessiveuse. Non, jamais, au grand jamais, elle ne lavera son pantalon en drap cardé, son caleçon en cretonne écru. Elle exècre cet uniforme qui transforme les hommes en une ribambelle de pantins kaki, une colonne de chair à canon. Le prestige de l'uniforme, ce n'est pas pour elle. Elle aime son homme quand il manque un bouton à sa chemise, quand il marche pieds nus sur l'allée herbeuse qui mène aux feuillées, quand il cueille trois violettes comme une fiancée de la campagne. Elle redoute que la guerre la prive pour toujours de la fantaisie de Pierre, de ses gestes quasi féminins quand il lie délicatement un bouquet de coucous avec un brin d'herbe à matelas. Dès leurs premières escapades dans le bois de la Crochère, elle a découvert chez cet homme de cinq ans son aîné, célibataire endurci et valseur réputé, une douceur qu'elle n'aurait jamais soupçonnée auparavant chez un garçon. Comment un ouvrier qui endurait la fournaise des hauts-fourneaux et domptait les infernales coulées du métal en fusion était-il capable, au sortir de l'usine, d'apaiser tout son corps au point de lui prodiguer d'envoûtantes caresses millimétrées comme un point de dentelle ? Elle savourait doucement cette dualité, quand après une profonde jouissance, elle caressait les callosités de ses mains redevenues des pognes de fondeur après avoir été de tels organes de raffinement.

La guerre ne durera pas, Pierre rendra son uniforme au sergent fourrier du régiment, se convainc Marguerite en avalant une gorgée de café froid. Elle le voit déjà passer la tête par surprise à l'angle de la maison. Tiens, ce sera un jour de lessive comme aujourd'hui. À l'angélus du matin, elle soulèvera avec peine la lessiveuse de la cuisinière pour l'emporter dehors. Le linge dégagera un grand nuage de vapeur dans l'air frisquet quand elle le précipitera dans le lavoir en béton à côté du bûcher. C'est là qu'il lui lancera un puissant « *Guten Tag* » tout en restant caché derrière le mur. Elle se retournera vivement, cherchant en vain l'origine de cette voix de stentor ennemie en tortillant une pointe de drap mouillée. Même la vieille postée à sa fenêtre en restera tout interdite et lui lancera : « Vous avez vu quelque chose ? Moi, j'ai rien vu. » Marguerite reprendra son ouvrage en faisant non de la tête. Qui peut bien vouloir faire une aussi mauvaise blague en temps de guerre ? « Personne, hein », décrétera Marguerite. Pourtant au dernier coup de huit heures au clocher, il bondira comme un jeune chien au milieu du carré de pommes de terre et l'étreindra vivement. De toutes ses forces comme il en avait rêvé mille fois dans sa casemate humide sur la ligne Maginot. Elle hurlera de surprise, criera « Mais que tu es con ! » avant de fondre en larmes dans ses bras.

Octobre 39

Marguerite a du retard. Beaucoup trop de retard pour que ce soit juste un accident, pense-t-elle. Elle va consulter le calendrier des Postes sur le côté droit du buffet de cuisine. Elle se hisse sur la pointe des pieds, plisse les yeux en comptant les jours. Mais Pierre a punaisé le calendrier beaucoup trop haut. Elle finit par le décrocher et le pose sur la table. Elle avait ses règles quand ils se sont mariés. En septembre, elles ne sont pas venues, Marguerite a mis ça sur le compte de la guerre mais, un mois plus tard, elle n'y croit plus. Elle frôle avec précaution de sa main droite son ventre qui semble soudain ne plus être le sien. C'est un drôle de mélange de sentiments que de sentir ainsi une partie de son corps se détacher, s'éloigner. Pour devenir étranger. Surtout son ventre. Marguerite recompte les jours d'août et de septembre. Marque au crayon de papier sur le calendrier les jours où elle était censée avoir ses règles. Un instant, elle se sent en panique à l'idée d'être enceinte alors que son homme est emmuré au bord du Rhin ; l'instant d'après, elle sent une joie folle chasser cette angoisse. Pensez donc, un petit si subitement venu, ce serait un sacré pied de nez aux événements qui les ont si vite éloignés. Ça ferait la nique aux mauvais coucheurs qui ont toujours vu leur histoire de travers. Et puis, elle se voit déjà l'annoncer à sa mère ; le regard morne de cette dernière se posant sur elle, une ride profonde barrant son front, juste au-dessus de ses yeux bleus que l'on aurait dits délavés par la tristesse et l'ennui. Marguerite retouche son ventre, qu'elle darde en avant avec insistance comme si elle était déjà enceinte de plusieurs mois.

En songe, tout va bien. Jusqu'à ce qu'elle pose le pied par terre et sente la morsure glacée du carrelage de ce soir d'octobre où un sale crachin détrempe les vitres. Elle entrouvre la fenêtre et inspire cet air humide qui sent le parfum fauve et acide des premières feuilles mortes. Tout est noir du côté de chez Germaine. Pour une fois, Marguerite aurait voulu s'accrocher à la petite lumière orangée derrière les rideaux de dentelle de la vieille. Pour briser cette solitude qui, soudain, la submerge, l'engloutit. Elle se fixe aux lueurs lointaines de la ville, aux fracas des trains qui s'engouffrent sous le pont de la Bougie en remplissant le ciel d'escarbilles. Elle voudrait voir son beau Pierre, surgissant là au milieu de la nuit, la bandoulière de sa musette lui barrant le torse, et criant : « On a eu un pépin avec le cubilot à l'usine, on a dû couler vachement en retard. » Elle mimerait une grosse colère : « C'est pas le cubilot qui t'as mis en retard, c'est le caboulot. » Il protesterait avec la véhémence d'un gamin pris en faute : « Comment tu peux dire ça, moi qui ne bois que du lait. »

Marguerite étreint le vide en refermant la fenêtre de la cuisine avec une tristesse rageuse. Elle se glisse en serrant les dents dans le grand lit humide. Sous le drap rêche, son ventre lui semble être devenu un fruit sec qu'une faiseuse d'ange pourrait triturer avec détachement sans lui causer de douleur pour en retirer un noyau dur et sans vie. Elle se voit allongée dans une petite chambre, du côté de la rue Nationale, où une femme sans âge officie avec des aiguilles à tricoter. De l'avorteuse, elle ne verrait que les cheveux poivre et sel de sa tête s'affairant entre ses deux jambes écartées d'où remonterait parfois le cliquetis des aiguilles. Pour supporter ce moment, Marguerite s'est déjà vue, abandonnant tout reste d'humanité, imaginer Pierre mort devant les lignes des boches. Une seule balle l'a saigné, vidé de tout son sang. Il repose sur la table de la cuisine d'une belle maison à colombage alsacienne réquisitionnée par son régiment. Son visage est livide. Marguerite veut l'embrasser mais elle recule avec effroi tant la froideur de sa peau et la dureté glacée de sa barbe la surprennent. « Non, non, je ne pourrais pas le garder », murmure Marguerite dans l'obscurité de sa chambre à coucher. Elle imagine la faiseuse d'ange qui vient d'achever son travail et lui assène d'une voix morne : « Maintenant, ma petite, tu te dépêches de rentrer chez toi. Tu te couches et tu te garnis en prévoyance de tout ce qui va couler. Et ne te lève surtout pas. »

Dans l'obscurité, Marguerite suit les aiguilles fluorescentes du réveil qu'elle a posé sur la table de nuit au plus près de son lit. Elle s'accroche aux heures qui la rapprochent de la consultation chez le médecin. Lui seul peut lui retirer cette grosse brique d'incertitude qui vrille son ventre noué par ce nid de questions qu'elle porte comme un fardeau caché. Du plus loin qu'elle se souvienne, Marguerite n'a jamais confié ses secrets à personne. Elle les enfouissait en elle, comme ces petits mouchoirs qu'elle pétrissait au fond de ses jupes jusqu'à en faire des nœuds serrés qu'elle avait le plus grand mal à défaire avant de les mettre dans la lessiveuse. Bien avant d'être en âge de gérer sa propre intimité, elle avait compris que toute perspective de révélation au grand jour des petits et grands chantiers de la vie était vécue comme une catastrophe familiale.

Marguerite devait avoir six ans. Ça faisait deux jours que l'on n'avait pas vu l'oncle Roger qui logeait à côté de la grange. Comme on était lundi, on avait mis ça sur le compte de sa cuite dominicale, qui, parfois, l'éloignait de la ferme le temps qu'il dessaoule quelque part dans un fenil. Roger était vieux garçon depuis que sa fiancée était morte de la grippe espagnole à son retour de la guerre, en 1919. Depuis, il aimait un peu trop la goutte et les filles à soldats qu'il allait visiter le samedi, après la traite du soir. Personne ne s'inquiétait, de toute façon, il était toujours de bonne humeur, même quand il rentrait sans le sou et avec une affreuse gueule de bois. Il s'ébrouait alors à grande eau à la pompe à bras de la cour et se mettait à l'ouvrage en sifflotant. Quand le père était entré en trombe dans la cuisine, où Marguerite était attablée avec ses frères, pour appeler leur mère, tout le monde avait pensé à une histoire de bête malade. Les parents avaient bruyamment refermé la porte vitrée derrière eux. Ils étaient restés ainsi sur le seuil, chuchotant, le père faisait des grands moulinets avec ses bras, les yeux soudain humides ; sa femme tordait ses mains, la mine fermée comme une porte de grange. Quand elle était rentrée dans la cuisine, elle s'était dirigée tout droit vers ses fourneaux, s'était emparée de la casserole de purée pour servir les gamins. Marguerite se souvient de son masque de dureté alors qu'une grosse cuillère de nourriture claquait dans son assiette et que sa mère avait soufflé : « L'oncle Roger est mort, il s'est pendu. »

Plus que l'annonce brute du décès, c'est le ton désincarné de sa mère qui hante toujours Marguerite. Elle avait dit « Il s'est pendu » comme elle aurait pu dire « Il a passé le conseil de révision », « Il a fini de sarcler les betteraves » ou « Il va au bois ».

De cet épisode, la petite fille a gardé la certitude qu'elle ne confierait jamais rien à cette femme. Jamais elle ne pourrait lui décrire ce temps incertain qu'elle est en train de vivre, ce temps où elle ne maîtrise rien. Encore quelques heures avant de savoir. Dehors, la pluie résonne sur le toit en tôle ondulé du bûcher. Marguerite ne veut pas renoncer à porter la robe à petites fleurs mauves et blanches qu'elle vient de se coudre. Du tissu acheté au marché, elle a gardé un minuscule carré qu'elle veut envoyer dans le prochain colis à son homme, avec la confiture de mirabelles et le savon Cadum. Elle a déjà écrit le petit mot qu'elle épinglera sur le tissu : « Je l'ai choisi en pensant à la petite robe que je porterai pour toi à la prochaine fête de la Pentecôte. »

La pluie faiblit au petit matin, Marguerite se lave soigneusement dans la grande bassine devant l'évier. La cuisine embaume l'eau de Cologne. Elle boit juste son bol de café avant de partir. Le faubourg s'est vidé de ses hommes qui couraient habituellement à cette heure-là vers l'embauche. Il n'y a plus que des femmes et des vieux qui regardent comme une bête curieuse Marguerite pimpante dans sa robe à fleurs. Un homme, sans âge, en train de fourrer de l'herbe fraîchement fauchée dans les clapiers de ses lapins se retourne longuement sur elle tandis qu'elle remonte la venelle conduisant à une avenue bordée de demeures bourgeoises. Elle presse le pas pour fuir ce regard qui la déshabille dans son dos. Le médecin occupe une grande villa beige aux volets verts bordés de troènes soigneusement taillés. Marguerite sent battre son cœur devant le portail. Elle marque un arrêt, lorgne la plaque professionnelle où il est écrit « Docteur Ponchin, ancien interne des hôpitaux de Paris », va chercher l'air bien haut dans le ciel gris et franchit le seuil avant de faire crisser le gravier de la cour. Trois marches d'un escalier dallé de marbre et la voilà, actionnant un carillon plaintif. Marguerite frisonne dans sa petite robe ; le temps lui semble si long qu'elle songe à partir. Mais tandis qu'elle croise les bras pour se réchauffer, la porte s'ouvre sur un petit homme râblé coiffé en brosse et dont la moustache poivre et sel jaunie par le tabac confirme l'épaisse odeur de Scaferlati qui flotte dans l'entrée. « Vous êtes tombée du lit, grogne-t-il. Ce n'est pas encore l'heure des consultations. Il n'y avait personne pour vous recevoir. » Marguerite frisonne à nouveau, de froid et de gêne, tente de balbutier des excuses qui restent bloquées dans sa gorge.

« Je ne…, tente-t-elle.

— Tu ne savais pas, la coupe le médecin. Et en plus, tu t'es habillée comme si tu allais guincher pour la Saint-Jean. »

Sa soudaine familiarité effraie Marguerite alors qu'il savoure son effet en affichant un sourire bienveillant : « Allez, viens, je vais te faire passer de suite. »

Le cabinet du docteur Ponchin est plongé dans la pénombre. De son imposant bureau submergé de paperasse émerge un large râtelier encombré de pipes. Marguerite contemple ces petits fourneaux noircis et culottés en s'asseyant sur le bout d'une chaise. Le médecin l'observe d'un air amusé en allumant une cigarette. « Tu n'es jamais venue me voir auparavant », lance-t-il en refermant son briquet. La jeune femme murmure un « non » à peine audible en secouant la tête, puis se lance en haussant légèrement le ton :

« C'est mon mari qui vous connaît. Avant d'être mobilisé, il m'a dit de venir vous voir si jamais j'étais malade.

— Et tu es malade de quoi ? » demande le médecin en ouvrant une porte-fenêtre qui découvre les branches d'un majestueux cyprès.

Il tourne le dos à Marguerite, envahie par une honte poisseuse quand le vent frais du dehors lui donne la chair de poule. « Alors ? Qu'est-ce qui t'amène ? » Elle voudrait que Ponchin se retourne mais il reste appuyé sur le montant de la porte-fenêtre. « J'ai du retard », jappe Marguerite, étonnée d'avoir ainsi appuyé sur ses mots avec une sorte de hargne lugubre. Le médecin reste figé :

« Et tu es mariée depuis combien de temps ?

— Deux mois », dit la jeune femme.

Le docteur Ponchin hausse les épaules en se retournant. Elle croit alors croiser son regard brillant mais il est déjà penché sur son bureau, occupé à écraser sa cigarette : « C'est ton homme qui te manque, ma fille, soupire le médecin. Je ne pense pas que tu sois enceinte. En 14, c'était déjà comme ça quand j'étais interne. » Marguerite reste interdite sur sa chaise, les deux mains posées bien à plat sur ses genoux, elle semble quémander un supplément d'avis. Le médecin se saisit d'une pipe qu'il tapote contre sa paume droite avant de désigner avec le tuyau un paravent au fond de son cabinet. « Je vais t'examiner mais ne te fais pas d'illusion. »

Sur le chemin du retour, Marguerite presse le pas au fur et à mesure que sa colère monte. Elle en veut à son homme qui dicte la marche de son corps ; d'être ainsi déréglée par son absence. « Me voilà quasi ménopausée à cause qu'il est pas là », bougonne-t-elle. Le médecin lui a prescrit des drogues tout en lui affirmant que « le meilleur remède serait une permission ». Soudain, Marguerite sent les tétons de ses seins darder sous le tissu de sa robe et un feu furieux lui traverser le ventre. Elle sourit de passer ainsi de la colère au désir en songeant à son homme. Elle soulève sa crinière acajou dans le vent d'automne. C'est sûr, une fois rendue chez elle, son corps coulera enfin. Marguerite envisage cette perspective toute proche avec un mélange de tristesse et de soulagement mais elle sait qu'elle aimera encore ; que son ventre est bien vivant, rebelle même aux soubresauts de l'Histoire qui lui ont enlevé « son » Pierre.

Novembre 39

Marguerite n'a jamais su couper le petit bois pour allumer le feu. Ce matin encore, elle bataille avec un rondin de chêne qu'elle tente de fendre sur le billot. La serpe de Pierre lui semble bien trop lourde quand elle la soulève et qu'elle marque un temps d'arrêt avec l'outil suspendu en l'air, pour viser au mieux les failles du bois qui faciliteront son ouverture. Souvent, quand il s'agit de foyard, l'outil dérape sur le morceau, ne détachant qu'un éclat qui ripe au milieu du bûcher. Le chat roux de Germaine la fixe avec placidité, allongé de tout son long sur la plus haute rangée de tronçons. Marguerite s'est habituée à cet animal décharné qui la visite de plus en plus depuis le départ de Pierre, profitant de ses restes de repas et se vautrant près de la cuisinière, jusqu'à en devenir brûlant jusqu'au cœur de son pelage. Elle aime ses feulements rauques quand il dicte sa loi aux greffiers du quartier et s'en revient de ses bastons couvert de croûtes autour des oreilles.

Marguerite frissonne dans l'air frisquet du matin. Elle sent un filet de sueur couler entre ses deux omoplates ;

elle rajuste les différentes couches qui l'emmitouflent et entaille rageusement un nouveau rondin. Cette fois, la serpe reste coincée dans le premier quart du bois et elle s'escrime comme une diablesse pour l'en retirer. En vain. « Vous avez besoin d'un coup de main ? » lance une voix moqueuse et grave. Marguerite sursaute avant de se retourner. L'homme la regarde avec un sourire amusé. Il en impose, bien campé sur ses deux jambes, les mains dans les poches de sa veste de cuir. Une silhouette de travailleur de force, très brun. Il a aussi quelque chose autour de son regard qui intrigue Marguerite. Comme s'il s'était grimé avec du noir de fumée. « Je m'appelle Henri Perrin. J'ai quelque chose pour vous », lance-t-il, mystérieux, à la jeune femme qui l'observe avec méfiance. L'homme sort très vite une enveloppe de l'intérieur de sa veste. « C'est de la part de Pierre », s'exclame-t-il, sûr de son effet. Il vient de vriller le cœur de Marguerite qui sent son sang bouillir dans ses veines. Elle ne peut retenir sa question face à cet homme qu'elle devine manipulateur : « Qu'est-ce qui lui est arrivé ? » supplie-t-elle. L'homme savoure sa panique, ménageant un long silence avant de répondre : « Mais rien. Il m'a juste demandé de faire le facteur », dit-il en brandissant la lettre. Elle le scrute, paupières plissées, en serrant de ses deux mains le manche de sa serpe. Perrin sent qu'il est allé trop loin. Il tend l'enveloppe et raconte douce-ment : « Je connais Pierre de quand, gamins, on jouait au foot. En août, je l'ai vu depuis mon train sur un quai à Mulhouse. C'est là que je lui ai dit qu'il pouvait me faire passer du courrier. »

Perrin est cheminot. « Roulant », comme il dit à Marguerite. Il a toujours fait les trains de l'Est, Belfort, Colmar, Strasbourg. « En face des fridolins, rigole-t-il. Maintenant, il y en a là-haut, du monde, à se regarder en chien de faïence. Tenez, dit-il en lui tendant l'enveloppe, je suis sûr qu'après avoir lu ça, vous vous direz que c'est pas si terrible. » Marguerite lâche sa serpe bloquée dans le billot et récupère la lettre en soufflant un minuscule « merci ». À cet instant, elle se dit que Perrin a lu les mots que Pierre lui a adressés et dont la complicité aurait pu échapper à la censure militaire. Elle sent monter sa colère contre la perversité de cet inconnu qui a violé son intimité. Une toute-puissance d'homme qui joue avec ses sentiments, son attente, sa vulnérabilité. Qui sait, il a peut-être demandé de l'argent, fait payer très cher pour porter cette lettre, fulmine Marguerite. Dans une autre vie, elle aurait craché au visage de ce messager sordide mais là, elle se sent dépendante de lui, inféodé à ce fil d'Ariane qui la relie à la ligne Maginot. « Vous boirez bien quelque chose, s'entend-elle dire bien malgré elle. Un café ? Un verre de vin ? Une fine ? » Perrin hoche la tête : « Un canon, c'est pas de refus. » Marguerite le voit déjà s'attabler dans sa cuisine où elle n'a reçu aucun homme depuis le départ de Pierre. Elle se dit qu'elle restera dos au mur, le plus loin possible de Perrin qui boira son verre de vin. Mais rien ne se passe comme elle le redoute. Le cheminot s'approche du bûcher, s'empare de la serpette qu'il dégage d'un coup sec du rondin. « Je vais vous faire un peu de petit bois, décrète-t-il. C'est pour le verre de vin que vous allez m'apporter. »

Perrin a déjà débité une demi-douzaine de morceaux de bois quand Marguerite lui tend d'une main un verre et verse le vin de l'autre. « Vous ne demandez rien sur là-haut ? » interroge, intrigué, le cheminot après une première gorgée et un coup de menton en direction de l'Est. Marguerite hausse les épaules, gênée. Elle ne sait plus que penser de cet homme qui vient tout juste de déclencher chez elle une sainte colère. Quand peut-il vraiment être sincère ? rumine-t-elle.

« Votre mari, je ne l'ai pas vu. C'est un autre militaire qui m'a apporté un paquet de lettres de la part des gars de chez nous. Une vraie tournée de facteur, j'ai traversé toute la ville, vous êtes la dernière adresse.

— Alors vous ne lui avez pas causé, regrette Marguerite comme si elle se parlait à elle-même.

— Non, je ne l'ai pas vu. Mais il va bien, ils vont tous bien de toute façon. Sauf qu'il ne se passe rien. Remarque, il vaut mieux s'emmerder à cent sous de l'heure plutôt que d'y passer, hein ? »

Marguerite ne répond pas, elle a retrouvé le visage fermé du début de leur conversation. Mais Perrin s'en-tête : « Vous savez comment il est mort là-bas, le premier gars de chez nous ? Il a sauté sur une mine en allant cueillir des pommes. » Il mime avec ses doigts le mouve-ment des pas puis lève les mains au ciel : « Boum. C'est con, hein ? » Marguerite ne dit mot, terrorisée. Perrin pose son verre sur le billot en décrétant : « C'est jamais comme on croit, la guerre. Allez, je vais dormir. Faut que je sois ce soir au dépôt. » Il tend vivement sa main à Marguerite qui peine à la toucher du bout des doigts. Elle est surprise par la chaleur de sa peau alors qu'elle a les doigts gelés. Perrin la fixe, ses yeux rieurs semblent lui dire : « Eh bien, tu vois, ce n'était pas si terrible de me serrer la louche, j'allais pas te manger. »

Marguerite regarde le dos massif de Perrin qui s'éloigne dans l'allée du jardin puis disparaît à l'angle de la maison. Il réapparaît au milieu de la rue, enfourchant un grand vélo qui grince de tous ses pignons.

Marguerite se précipite à la cuisine et referme vivement sa porte, la lettre sur sa poitrine. Elle tire une chaise qui crisse sur le carrelage, s'assoit, déchire un côté de l'enveloppe puis se fige et se ravise. Et si quelqu'un surgissait dans mon dos et attrapait au vol les mots de Pierre. Ça suffit déjà de Perrin, se dit-elle. Elle se lève, tourne la grosse clé dans la serrure de la porte, ajuste les rideaux de la fenêtre de la cuisine et va dans la chambre. En dépit de l'heure matinale, son lit est déjà fait au cordeau. Elle a hérité de sa mère cette habitude quasi militaire de briquer et de ranger son intérieur dès l'aube. Mais aujourd'hui, Marguerite défait avec désinvolture le drap et les couvertures et se faufile dessous. Elle se sent rassurée par cette pénombre douillette où elle finit d'ouvrir sa lettre. À l'intérieur, il y a un grand feuillet, on dirait du papier pelure où elle reconnaît les « pattes de mouche » au crayon de papier de Pierre. Il y a également une enveloppe de couleur bleue, plus petite, que Marguerite garde pour plus tard. Sur la table de nuit, elle allume la lampe de chevet dont l'abat-jour saumon diffuse une lumière tamisée.

« *Ma Marguerite,*

Je profite qu'un gars de chez nous doit aller en gare de Mulhouse pour lui remettre ce mot qu'il essaiera de faire passer par un cheminot de notre connaissance. Tu sais, je n'ai pas grand-chose à te raconter de plus que dans ma dernière lettre. Les jours passent et se ressemblent alors qu'on n'a toujours pas vu les boches. Entre les corvées, l'entraînement et l'entretien du matériel, on est censés ne pas chômer mais franchement c'est long la vie ici. Comme je te l'ai déjà dit, l'ordinaire est plutôt bon, et puis on arrive à compléter avec nos colis (merci pour le savon, les gâteaux et la confiture de mirabelles) et ce que l'on ramène des zones évacuées. L'autre jour, justement, c'était mon tour d'y aller avec les copains, et un gars qu'est photographe dans le civil a fait les photos que tu trouveras avec ma lettre. Tu verras qu'on a le moral mais ce n'est pas la peine de les montrer à d'autres, ça pourrait faire jaser qu'on rigole ainsi sur la ligne Maginot.

Je pense souvent à la maison. Es-tu allée aux nèfles et aux prunelles alors qu'il a déjà gelé ? D'ailleurs, calfeutre bien avec de la paille et des chiffons les tuyaux d'eau de la maison pour que le froid ne les fasse pas exploser. J'imagine que tu as dû rentrer les derniers haricots secs et semer de la mâche. Et le petit bois, as-tu trouvé le coup de main avec la serpette ?

Je vais devoir te laisser si je veux que ma lettre parte à temps. Ne t'en fais pas, ma petite femme, on prend soin de nous et on a de quoi se défendre. Et puis, on dit qu'on aura bientôt une permission pour qu'on puisse rentrer au chaud chez nous. Je t'embrasse bien fort,

Pierre »

Marguerite relit et retourne plusieurs fois le frêle papier car elle redoute que des mots lui échappent. Dans la pénombre tiède de son lit, elle soupèse l'enveloppe contenant les photographies, appréhende de retrouver son homme en noir et blanc. Elle retire une première image ourlée de blanc et dentelée où apparaissent quatre hommes affublés de chapeaux à fleurs, de corsages, de jupes longes et de robes qui laissent dépasser leurs godillots. Ils se tiennent par les épaules et sont hilares, debout dans un pré. Pierre, surtout, rit aux éclats, la tête en arrière, alors que ses voisins semblent le retenir pour ne pas qu'il tombe. Sur un deuxième cliché, le même groupe pose avec une chèvre affublée de rubans et coincée entre les jambes de l'un des garçons. Marguerite retourne une troisième photo où Pierre et trois autres soldats travestis sont attablés dans une salle à manger. Ils trinquent devant de nombreuses bouteilles, pipes et cigares au bec. On distingue ce qui ressemble fort à un bocal de cerises à l'eau de vie largement entamé parmi des reliefs de nourriture. Sur la dernière image, toujours dans la salle à manger, la joyeuse bande danse tout en fixant l'objectif du photographe. La main de son partenaire est ostensiblement plaquée sur le postérieur de Pierre.

Passée la curiosité puis la stupeur, Marguerite sent la douce quiétude qui l'habitait depuis qu'elle s'était réfugiée dans sa chambre la quitter pour laisser place à une froide colère. C'est comme la pointe d'une lame de couteau qui effleure son dos en suivant sa colonne vertébrale. Elle voit du plaisir, de la joie dans ces images qui lui procurent un insupportable sentiment d'injustice. Elle ne comprend rien à ces mines réjouies alors que le temps de la guerre la noie dans la solitude et la monotonie. Comment son homme peut-il ainsi guincher à portée de canons des boches ? Comment peuvent-ils se déguiser en femmes alors qu'ils doivent tenir la ligne Maginot contre les Allemands ? Marguerite ne comprend pas cette guerre où rien ne bouge, où les hommes se font photographier comme s'ils étaient en ménage. Ils mangent, ils boivent, ils fument, ils rigolent, enrage Marguerite. C'est peu dire qu'elle s'y perd en se repassant les photos, elle qui n'a connu auparavant que les interminables récits de son père racontant les tranchées, la boue, les rats, le froid, le déluge d'obus de la guerre de 14. Est-ce possible que deux guerres se ressemblent si peu alors qu'en face c'est toujours le même ennemi qui menace ? L'envie de déchirer ces photos la démange, elle écarte deux bords crénelés entre les ongles de ses pouces, elle sent le carton qui va rompre. Puis se ravise, surprise par un douloureux pincement dans la poitrine. La voilà maintenant hésitante, presque à fondre devant le rire de cet homme dans sa mise grotesque, cette robe à pois blancs qu'il a rembourrée au niveau de la poitrine et dont les courtes manches laissent voir ses bras velus. Elle lui trouve un regard d'enfant insouciant dans son amusement. Ses yeux brillants surtout disent cette joyeuseté rustaude et naïve que Marguerite a toujours enviée quand, à elle, la fille de la fratrie, incombait la raison et le sérieux de la maisonnée. Elle bénit cette ivresse chaude qui fleure sur ces photos comme un baume contre les engelures de la guerre. Marguerite voudrait les lèvres de son homme qui sentiraient le vin et le tabac, son menton rugueux qui picoterait son cou. Elle entend d'ici les rires insouciants des garçons plongés dans les armoires à la recherche des déguisements les plus fantaisistes. Elle s'esclaffe avec eux quand l'un darde ses jambes vers le ciel pour mimer l'enfilage d'une paire de bas tandis qu'un autre tire sur les lacets d'un corset péniblement ajusté sur un torse velu. Marguerite rougit au plaisir que lui procurent ces visions à la dérobée. Pensez donc, un homme vêtu en femme. Même en rêve, elle n'y avait jamais songé. Mais soudain, qu'une étoffe précieuse, qu'un vêtement délicat viennent effleurer et recouvrir une peau d'homme au parfum aigrelet de sueur la plonge dans un trouble désarçonnant. Elle contemple encore une fois ces jeunes gens travestis dans l'intérieur confortable d'une maison de village alsacien. Elle rit aux éclats, bat des mains sur l'édredon en se remémorant les mots de Germaine, l'autre jour, tandis qu'elle arrachait ses derniers pieds de haricots en grains : « C'est pas drôle pour toi ma petite. Mais c'est pire pour eux, là-haut, c'est zone de feu. »

« Tu parles d'une zone de feu », chuchote Marguerite dans le silence de la chambre. Elle déteste ces petits vieux et, plus généralement, ces planqués de l'arrière qui croient tout savoir. Qu'est-ce qu'ils y connaissent à cette guerre, eux, quand ils sont convaincus d'être dans leur bon droit d'en parler ? Il faut les voir gloser sur la ligne Maginot alors qu'ils n'ont jamais mis un pied au-dessus de Belfort. « C'est qu'on est bien défendus », répétait l'autre jour un nabot chez le boucher tout en négociant une ristourne sur son talon de jambon. Marguerite n'avait pu s'empêcher de lui lancer un regard plein de morgue auquel il avait répondu par un mouvement hautain du menton qui semblait dire « Moi je sais, vous pas ». Marguerite voudrait l'avoir, là, maintenant, sous la main, pour l'empoigner par le cou et lui coller le nez et le front contre les photos, un peu comme on le fait avec un chaton qui pisse partout. Elle vociférerait dans son oreille : « Vas-y, regarde ce que font les vrais gars, ceux qui vont au feu, ceux qui baisent leurs femmes les yeux grands ouverts, ceux qui n'ont pas besoin de se pousser du col pour être des vrais hommes. »

Ces mots qu'elle se dit à elle-même régalent la jeune femme. C'est encore surprenant, mais déjà un peu moins que tout à l'heure. C'est comme si elle faisait soudain l'apprentissage de sa première vraie liberté de femme : pouvoir traiter un homme comme si elle en était un. À vrai dire, ce n'est pas tout à fait nouveau, mais cela n'a jamais été aussi clairement formulé dans la tête de Marguerite que maintenant. Il y avait d'abord eu son mariage et le départ du domicile parental. Là, c'était comme si un vent frais avait soufflé, la délivrant du regard et du jugement maternels qui pesaient sans cesse sur elle auparavant. Avec Pierre, il n'était plus question de vigie entre eux, et les habitudes scrutatrices de sa voisine l'agaçaient d'autant plus.

« Faudra lui dire quand même qu'on n'est pas ses gosses, avait-elle lancé un jour, alors que la vieille femme était en embuscade derrière ses rideaux.

— Mais elle nous aime », l'avait raillée Pierre.

Son départ, au début de septembre, l'avait laissée tétanisée, devant une béance énorme. Les premiers jours de silence avaient été autant de petits cailloux que Marguerite avait jetés dans le vide avant, peu à peu, d'apprendre à se mouvoir et à occuper cette solitude. Puis le devoir et la résignation avaient laissé la place à un mélange de force et d'assurance où, étonnée, elle avait senti poindre un jour le plaisir d'être une femme indépendante. Un matin, elle s'était réveillée avec une sorte de révélation qui lui avait fait l'effet d'un coup de poing dans le ventre avant de le laisser dur comme la pierre de l'évier : « Je peux être aussi forte qu'un homme. » Ce n'était pas tant le fait qu'elle savait désormais bécher et fendre du bois comme « son » Pierre qui avait forgé cette conviction. Non, ça les femmes de 14-18 l'avaient déjà fait. Tout comme fabriquer les obus de 75 à la fonderie ou conduire une paire de bœufs pour labourer et semer le blé d'hiver du côté de la Crochère.

Sa mère lui avait raconté les copeaux et la limaille de fer entaillant ses doigts sur le tour où elle alésait des pièces pour l'armée. Et puis il y avait aussi l'huile de coupe des machines qui giclait sur les bras, occasionnant d'affreuses poussées d'eczéma. Après les interminables journées d'atelier, le soir, sa mère devait encore s'occuper des frères et des sœurs de Marguerite, tenir la maison, nourrir les poules et les lapins. Il n'y avait aucune liberté dans cette vie enchaînée à la guerre et aux travaux domestiques, minée par le déplaisir et la monotonie. Marguerite en avait d'autant plus conscience que sa mère avait perpétué son statut de femme forçat au-delà de l'armistice et de sa naissance. Elle tricotait et cuisinait comme elle avait fabriqué des obus : enfermée dans un devoir où elle ne trouvait aucune satisfaction. Malgré cette aigreur, ce dépit permanent, sa fille n'avait jamais réussi à développer une véritable aversion contre elle. Elle éprouvait parfois de la mélancolie à la voir et à l'entendre distiller son amertume. Parce qu'au fond d'elle-même, Marguerite était convaincue que la frigidité de son âme n'était pas un choix de la part de sa mère, mais un handicap de toujours, comme d'autres naissent sourds ou aveugles. Sa mère avait été amputée de cette liberté qui aurait pu lui permettre de conduire un peu sa vie pendant les quatre ans où les hommes se battaient dans la Somme, la Meuse et les Vosges.

Là, c'était son libre-arbitre qui germait depuis septembre 1939 et les bandes molletières des soldats s'éloignant vers la gare. Marguerite avait senti poindre cette liberté dans les plus petits gestes du quotidien : boire son café ; faire la lessive ; sarcler ; souper à l'heure qu'elle voulait. Sa latitude avait grandi au fil des jours : elle n'avait plus peur des « vilaines pensées » du plaisir, comme sa mère qualifiait tout ce qui n'était pas dans les clous de sa propre existence. Elle songeait à la peau, au sexe, aux bras de Pierre avec une gourmandise attendrie, se lovait à sa place dans le lit pour se faire jouir jusqu'à en perdre le souffle ; elle s'imaginait ses yeux rieurs au-dessus des siens, puis la morsure de son baiser brûlant dans son cou, sous la masse souple et caressante de ses cheveux. Elle savourait cette liberté d'aller et venir sans fin dans son désir et ses propres fantasmes.

Une femme aussi accompagnait la mue de Marguerite. Elle l'avait aperçue une première fois à la poste où elle était venue affranchir un colis pour son homme. D'emblée, Marguerite avait perçu une forme d'assurance chez la receveuse qui lui était inconnue. Elle s'était demandé comment une femme aussi pomponnée pouvait incarner une fermeté et un ascendant qu'elle ne pensait appartenir qu'aux hommes. La postière l'avait observée avec une moue ironique alors que Marguerite s'inquiétait de la fragilité du contenu de son colis. Elle s'appelait Raymonde, fumait dans la rue et, pire vilenie encore, pilotait une moto qu'on lui connaissait depuis le Front populaire où elle était devenue « la femme à la Terrot » dans les cortèges de la SFIO. Marguerite regardait avec un mélange de crainte et d'admiration cette égérie qui ferraillait avec les hommes avec une mine réjouie, au nom du socialisme et de l'égalité hommes-femmes.

Elles échangèrent un sourire quand Marguerite se présenta au guichet et, plus encore que la situation de Pierre, c'était le devenir de Marguerite qui intéressait la receveuse. Était-elle seule ? Recherchait-elle un travail ? Un peu gênée d'avoir ainsi à répondre en tête de la file d'attente, Marguerite était cependant fière qu'une femme ainsi affranchie s'intéresse à elle. Elle perçut dans son regard engageant une invitation à pousser la porte de sa propre liberté.

Un midi qu'elle était occupée au jardin, Marguerite entendit sa Terrot ronfler au loin puis décroître à l'approche du pâté de maisons. Elle vit venir Raymonde, engoncée dans une grosse veste de cuir d'homme pour affronter la bise. « J'ai une proposition à vous faire, dit-elle d'une voix enrouée par le tabac. Quelques heures de ménage dans les bureaux de la poste. » Marguerite afficha un sourire embarrassé. Non pas que la perspective de ce travail lui déplaisait. Au contraire, les journées d'hiver allaient être longues sans le jardin à faire. Mais c'est qu'il fallait qu'elle demande à Pierre, pensa-t-elle. Dans sa prochaine lettre, peut-être, si elle osait. « Vous avez le temps d'y penser, on n'est pas aux pièces », la rassura la receveuse qui avait deviné sa gêne. Les deux femmes s'observèrent longuement en silence. Marguerite lissait le tablier bleu qu'elle portait pour les travaux du dehors ; la receveuse, elle, avait les deux mains fermement plantées dans les poches de sa veste quand elle dit : « Vous ne pourrez pas rester tout le temps entre vos quatre murs, toute seule comme ça. » Marguerite protesta mollement :

« Mais la guerre sera bientôt finie.

— Ça, c'est autre chose », souffla la postière avant d'actionner le kick de sa Terrot.

Dans le vacarme de l'engin, Marguerite regretta de ne pas l'avoir invitée à boire un petit verre de vin de noix dans la cuisine. Elle se sentit soudain maladroite et inutile.

Décembre 39

On a beau répéter dans les allées du marché couvert que cette guerre ne durera pas, que les hommes seront bientôt de retour, Marguerite n'y croit pas. C'est sûr, son Pierre ne sera pas là pour Noël. Elle en a la confirmation, un matin de décembre, quand Perrin cogne au carreau de la cuisine, faisant trembler les étoiles de givre qui recouvrent la vitre. Le cheminot a l'air tout chiffonné : « Autant que je vous l'annonce tout de suite, il viendra pas ce mois-ci, c'est vous qui allez monter là-haut », bougonne le cheminot, mystérieux, avant de tendre à Marguerite un petit paquet enveloppé dans du papier journal grossièrement ficelé. Devant l'air surpris de la jeune femme, il ajoute en désignant le colis : « C'est tout expliqué là-dedans. » Vite, Marguerite presse contre sa poitrine le paquet, trop impatiente qu'elle est de l'ouvrir pour offrir un café à Perrin qui s'en retourne en marmonnant « Même pas merci ». Dans sa précipitation, elle se coupe le pouce en tranchant la ficelle avec son couteau économe, son sang macule le papier journal qui dévoile un saint Nicolas en pain d'épices et un petit carton gris couvert de l'écriture fine de Pierre :

« Mon amour, retrouve-moi à la gare de A., le 24 vers midi, nous passerons Noël tous les deux, je te le jure. »

Elle relit plusieurs fois ces mots qui lui semblent tomber du ciel, comme un rêve fou qui la surprendrait dans son sommeil. Tout lui semble irréel dans le projet de son homme. Noël avec lui, à A., terre inconnue qu'elle n'arrive même pas à situer sur la carte du calendrier des Postes. Est-ce une ville ? Un bourg ? Un village ?

L'après-midi, Marguerite s'en va à la poste pour situer le lieu du rendez-vous, scrutant, les yeux mi-clos, la grande carte de France accrochée dans le hall. Raymonde s'approche : « Tu cherches quoi ? » C'est la première fois qu'elle donne du « tu » à Marguerite, qui a pourtant, à cet instant, le sentiment que la postière l'a toujours tutoyée. « Je cherche A. », dit Marguerite. Raymonde entoure ses épaules avec son bras droit tout en pointant l'index vers la carte. Elle remonte vers le nord, puis bifurque à droite, vers l'est, non loin de la frontière allemande. « A., c'est là, ma petiote. En temps de paix, c'est plutôt joli. On s'y est arrêtés l'année dernière avec mon homme au mois d'août en revenant de Strasbourg. Même qu'on y a mangé une pêche melba. » La postière se recule et fixe Marguerite avec une pointe d'amusement. « Comment que je te cause, hein ? » Marguerite pique un fard, silencieuse, elle marque un temps d'hésitation avant de souffler péniblement : « Non, mais, ça me va comme vous me causez. » Marguerite est gênée par son élocution laborieuse. Mais au-delà des mots qu'elle peine à trouver, elle sait que son trouble est ailleurs, dans cette proximité subite que vient de lui imposer Raymonde et qui provoque en elle un mélange contrasté et inédit de sentiments, entre la curiosité, le plaisir de se retrouver ainsi attirée par une femme et la panique et la honte que suscite également cette attraction pour quelqu'un du même sexe. Elle envie l'assurance de la postière, son aplomb masculin et sa féminité soignée qui s'incarnent dans le mélange de tabac brun et de parfum qu'elle exhale.

Les deux femmes restent un long moment sans se parler tout en contemplant la carte. « Tu connais le trajet en train ? » finit par demander Raymonde. Marguerite fait « non » de la tête.

« Il te faudra changer au moins une fois de train mais je ne suis pas sûre qu'on te laisse aller jusqu'à A. Je vais me renseigner si tu veux.

— Je veux bien », murmure, pensive, la jeune femme.

La receveuse des Postes l'entraîne dans son bureau, décroche son téléphone, demande un numéro puis raccroche et fixe Marguerite : « Tu as repensé à mes heures de ménage ? » La réponse tarde à venir tant Marguerite semble recroquevillée sur la chaise où Raymonde l'a invitée à s'asseoir. Jambes serrées, genoux joints, les mains accrochées à son sac à main bon marché posé sur ses cuisses. Elle connaît trop bien cette posture, elle en a honte tant elle lui rappelle la soumission et la résignation maternelles. Surtout ne rien dire qui puisse froisser l'autorité, le curé, les gendarmes, la patronne. À ce moment précis où elle n'ose pas répondre à la receveuse des Postes, Marguerite se souvient de sa mère devant l'institutrice déclarant : « Je vous donne toujours raison quand vous la punissez. Avec moi, elle a droit à une paire de gifles supplémentaire. » Le regard de la maîtresse avait brièvement croisé celui de l'enfant puis s'en était détourné, embarrassé. Surtout, ne pas, ne plus être comme elle, se répète Marguerite en contemplant les volutes de fumée de la cigarette de Raymonde. « Je les prends, vos heures », lâche-t-elle précipitamment.

C'est comme un petit triomphe qui vient de l'envahir, une bouffée de liberté qui enfle dans sa poitrine. Qu'elle travaille, sûr que « son » Pierre sera d'accord, songe, ragaillardie, Marguerite ; de toute façon, elle lui en parlera à Noël. « Alors tu commences lundi », conclut la postière en décrochant son téléphone qui vient de sonner. Elle veut les horaires de train pour A. C'est un peu long, elle fronce les sourcils, visiblement les explications qu'on lui donne sont alambiquées. Quand elle raccroche, elle fixe, songeuse, Marguerite. « Effectivement, c'est pas simple de monter là-haut, dit-elle. Tu risques d'être coincée à la correspondance par les militaires. Tu feras mieux de partir tôt si tu veux voir ton mari la veille de Noël. » Marguerite n'a pas l'ombre d'un doute. Elle se voit déjà sur le quai enneigé de la gare de A., le jour de Noël, Pierre la serre dans ses bras et enfouit un long baiser dans son cou.

Au sortir de la poste, Marguerite passe par la grand-rue où le jour décline dans un gris sale détrempé par une pluie fine qui vire à la neige. Il n'y a que le bruit de ses pas résonnant sur le pavé désert. L'air sent les feux de bois et de coke. Elle s'approche de l'imposante vitrine du Palais du vêtement, contemple les robes et les jupes d'hiver qui lui sont inaccessibles. Même en vendant les lapins et les volailles qu'elle comptait tuer avant les grands froids, elle n'aura pas assez d'argent pour s'offrir une tenue pour Noël. Alors Marguerite détaille les formes, les longueurs, s'applique à mémoriser l'arrondi d'un col, le bouffant d'une manche, le pli d'une jupe. Puis elle presse le pas pour rentrer. Sur le vieux pont de pierres, elle se surprend à dévisager les passants. Ou plutôt les passantes : il n'y a que des femmes, la guerre a enlevé leurs hommes. Soudain, Marguerite pleure dans le crachin glacé. C'est un chagrin silencieux, solitaire. Ses larmes sont comme des perles gelées quand elle tourne la grosse clé dans la porte de la cuisine. Le feu est mourant dans la cuisinière. Elle dépose un peu de petit bois et souffle sur les tisons. Les flammes jaillissent promptement et lèchent le foyer en fonte tandis que la bouilloire ne tarde pas à chantonner. Marguerite a envie d'un café très fort, elle a dans l'idée d'ébaucher quelque chose qu'elle veut porter pour Pierre à Noël. Elle étale sa modeste garde-robe d'hiver sur son lit et choisit quelques nippes qui pourraient l'inspirer et dont elle prend les mesures avec son mètre de couturière. Puis elle déplie soigneusement des pages de journal sur la table de cuisine et trace à grands traits des formes à la craie bleue. C'est peu dire qu'elle veut lui plaire à son Pierre. Elle esquisse des projets de jupe, de robe, de chasuble, de veste. Elle hésite, froisse le papier journal, qui finit au feu. Tard dans la nuit, après plusieurs bols de café, un patron prend forme sous les coups de ciseaux de Marguerite.

Une heure sonne dans le lointain. Elle hésite puis s'en retourne dans sa chambre où elle sort du haut de la penderie un coupon de tissu soigneusement emballé dans du papier de soie. C'est un beau lainage pied-de-poule que Pierre lui a offert à la foire de Pâques. Les ciseaux courent autour du patron posé sur le tissu, la jupe est découpée, Marguerite l'ajuste avec des épingles à sa taille devant le miroir de la penderie. Elle sourit. Elle veut la coudre immédiatement sur sa Singer remisée dans un coin de la chambre. Le froid, qui passe par le chambranle de la fenêtre, lui glace la nuque tandis qu'elle se penche sur son ouvrage. Mais cette sensation désagréable a le mérite de la maintenir éveillée. Ses doigts gours courent le long du pied-de-biche de la machine à coudre, le tracé des fils l'hypnotise, elle ne sait plus ni l'heure, ni le jour qui vient quand, dans un élan ultime, elle achève la dernière couture de sa tenue, se retourne et la dépose soigneusement sur son lit avant de s'allonger à côté et de s'endormir aussitôt sans se dévêtir.

Marguerite se réveille au grand jour blanc qui inonde la cuisine. Frissonnante, elle découvre l'épaisse couche de neige qui recouvre le jardin. Son feu a crevé, elle est perdue dans son réveil désordonné où Germaine la surprend en cognant au carreau :

« J'ai cru qu'il vous était arrivé quelque chose quand j'ai vu qu'il était midi et que vous n'aviez toujours pas nourri votre basse-cour.

— Je vais le voir pour Noël, s'exclame Marguerite, qui regrette aussitôt d'en avoir trop dit.

— Mais ça, c'est une sacrée bonne nouvelle. Je suis très contente pour vous, mon petit, lâche Germaine en la dévisageant, intriguée. C'est qu'une permission à Noël, c'est pas courant, c'est précieux. Tenez, vu que vous avez point de feu, venez tirer de l'eau chaude chez moi pour la marmite de vos poules et de vos lapins. »

En remplissant son seau dans la cuisine de Germaine, Marguerite ne sait que penser de cette vieille femme qui lui inspire tout à la fois de la méfiance et de la complicité. Mais sa joie l'emporte : « Cette nuit, je me suis cousu une jupe pour nos retrouvailles », sourit-elle. Germaine soupire doucement dans son dos. Son souffle s'éternise comme un regret, un songe mélancolique scandé par le crissement de ses ongles sur la toile cirée. Marguerite se retourne avec son seau fumant d'eau chaude et croise le regard de cendres de la vieille femme où elle aperçoit, comme à travers un voile, l'ombre de son fils disparu. À cet instant-là, elle se dit que Pierre ne peut pas mourir, que leur amour interdit l'éventualité de sa disparition, qu'au pire ils resteront séparés un temps qui leur paraîtra toujours trop long, mais que jamais la mort ne les éloignera et que, dans leurs vieux jours, ils décideront de « partir ensemble » d'un commun accord, comme ils se le sont juré dès les premiers temps de leur rencontre.

Dans les jours suivants, Marguerite ne tient plus en place. Il faut la voir briquer frénétiquement les parquets de la poste et tordre la serpillière au-dessus du seau en fer galvanisé qui trône au milieu du hall où elle fredonne les derniers succès de Tino Rossi. Rien ne peut entamer le bel élan de son énergie et de son enthousiasme qui la rapproche de Noël. Le manque de Pierre la rend d'autant plus amoureuse qu'il prendra bientôt fin. Marguerite fait fi de la brièveté de leurs prochaines retrouvailles. Depuis qu'elle sait qu'elle va revoir son homme, elle a rejoint le parti de ceux qui pensent que cette guerre ne durera pas et que les adversaires d'Hitler imposeront rapidement leur paix victorieuse. Ce n'est que l'affaire de quelques mois qui seront, forcément, entrecoupés de permissions. Tino chante sur le poste de TSF, Marguerite a acheté ses partitions sur le marché du samedi et les connaît déjà par cœur. Alors quand Raymonde vient la voir s'escrimer, à grand renfort de cire, sur les lames de chêne en chantant *Marinella*, Marguerite ignore la gravité ridant le visage de la postière quand elle parle de cette « drôle de guerre qui ne peut pas durer ainsi ». Dans le face-à-face de la ligne Maginot, Raymonde craint la puissance de l'Allemagne et le fanatisme des nazis quand Marguerite croit en la supériorité de la France et de son armée. Non, jamais son Pierre ne subira le sort honteux des vaincus. Il a la trempe des vainqueurs, la tranquillité de ceux qui défendent des causes justes et le courage des simples soldats qui finissent toujours par l'emporter. Alors forcément, la pensée réfléchie de la postière qui ne s'en laisse pas conter par la propagande ne fait que l'effleurer sans l'atteindre. Elle préfère son affection bienveillante, quand Raymonde l'étreint avec cette poigne masculine qu'elle n'aurait jamais imaginé auparavant dans la main d'une femme, pomponnée comme peut l'être « la femme à la Terrot ».

De retour de la poste, Marguerite passe un vieux tablier de coutil, se munit de son petit couteau à saigner et d'un saladier. Elle vérifie la présence d'une ficelle de lieuse nouée autour d'un clou au-dessus de la porte du bûcher, ouvre l'un des battants du clapier où elle s'empare d'un imposant lapin mâle qu'elle assomme prestement à l'aide d'un rondin de frêne. Marguerite a les gestes assurés d'une fille des faubourgs habituée à vivre des produits du jardin et de la basse-cour. Elle suspend la bestiole inerte par ses deux pattes de derrière à la ficelle de lieuse. D'un bref coup de surin, elle saigne le lapin qui se répand en un mince filet carmin dans le saladier posé sur le sol. Marguerite commence à le dépiauter en faisant glisser son épaisse fourrure rousse le long de ses pattes arrière qu'elle fait glisser sur le reste du corps avant de retirer les entrailles fumantes de l'animal écorché. Elle aime cette odeur chaude et fade de bête tout juste tuée qui, déjà gamine, lui chavirait le ventre et réveille en elle une troublante forme de pulsion animale. Elle voudrait que son homme la prenne là et son absence échauffe encore plus son désir. Avec son couperet, elle fend avec une rage à peine contenue le lapin en morceaux. La planche à découper posée sur la table de cuisine amplifie le bruit du tranchoir sectionnant les os, les muscles et les ligaments. Marguerite recouvre avec un torchon propre la viande rosée et le bocal de sang dans lequel elle a versé quelques gouttes de vinaigre pour l'empêcher de se figer. Plus tard, elle préparera le civet que Pierre aime tant et qu'elle veut lui apporter pour Noël. Mais maintenant, elle veut s'allonger sous la grosse couverture surpiquée de son lit ; sentir le poids de la literie qui tiédit tandis qu'elle écarte doucement ses jambes pour s'imprégner du songe de son homme.

C'est un petit grattement à la porte qui réveille Marguerite. Elle ouvre les yeux dans le crépuscule qui assombrit sa chambre. Elle a dormi une poignée d'heures après le profond soupir de sa jouissance. Elle s'en veut de s'être ainsi abandonnée et s'enroule dans son grand châle de laine en allant ouvrir la porte. Un gamin rougeaud apparaît, il a les bras chargés de paniers en osier de toutes les tailles dont les anses strient sa pauvre veste rapiécée. Dans le rai de lumière en provenance de la cuisine, Marguerite dévisage des traits d'enfant creusés par le froid et la fatigue sous un amas désordonné de mèches rousses. « Vous voulez pas m'acheter un panier ? » grommelle le jeune visiteur. Il a la voix enrouée d'un gamin des rues qui en a trop vu pour son âge. « Mais j'ai déjà tout ce qu'il me faut », décrète Marguerite, une main sur la poignée de la porte qu'elle s'apprête à refermer. Le gosse reste aussi immobile et silencieux qu'une statue de sel. Intriguée, Marguerite le détaille, cette fois de la tête jusqu'aux pieds qu'elle découvre enroulés dans des lambeaux de tissu crasseux maintenus par de la ficelle. Elle n'a jamais connu personne chaussé d'une telle misère. Le petit visiteur saisit sa surprise et recule dans la pénombre. « Attends, dit Marguerite. Approche à la lumière que je voie tes paniers. » Il avance prudemment, encombré par son chargement. Marguerite a repéré une sorte de gibecière en osier dans laquelle elle pourrait transporter ses provisions pour Noël. « Tu me la fais à combien ? » Il annonce un prix bien trop élevé mais, obnubilée par ce qui lui tient lieu de chaussures, elle ne songe même pas à marchander.

« Tu t'appelles comment ? demande Marguerite en sortant un billet d'un gros portefeuille fatigué.

— André, répond le gosse en posant la gibecière sur la table de la cuisine.

— André, tu veux un café au lait avec une tartine beurrée ?

— C'est que j'ai de la route et qu'il fait bientôt nuit, hésite André.

— Tu feras vite », décrète Marguerite en tirant un bol de son vaisselier et en poussant la cafetière sur la partie la plus chaude de sa cuisinière.

Le gamin mange avec le soin et l'application de ceux qui ont connu le manque de nourriture. André a onze ans mais il en paraît au moins trois de plus. La guerre a chassé sa famille et leur roulotte hors d'Alsace. Ils ont fait les vendanges, arraché les betteraves avant de se poser, sans travail, au bout du faubourg au bord de la rivière. André a deux frères et une sœur qui ont peur des gendarmes quand ils viennent roder autour de leur campement. Ils leur reprochent d'être des voleurs de poules. Mais leur père répète qu'ils ne mangent que les hérissons, dit André, le nez dans son bol en avalant sa dernière gorgée de café au lait. Avant de partir, Marguerite glisse un pot de confiture de mirabelles et un paquet de farine de gaudes dans l'un de ses paniers. Elle contemple toujours les guenilles aux pieds de l'enfant alors qu'il s'enfonce dans la nuit. Il sursaute quand elle le rattrape par l'épaule : « J'ai encore quelque chose pour toi. »

À tâtons, Marguerite ouvre la porte du bûcher, décroche la peau du lapin qui sèche, suspendue à une poutre, et s'empare d'une vieille paire de sabots promise au feu qu'elle frotte avec une poignée de foin. « Tiens, tu devrais pouvoir arranger tes pieds avec ça », dit-elle en les tendant au môme, visiblement décontenancé par tant de générosité. Il bredouille maladroitement « Merci » et s'éloigne en faisant crisser le gravier de son pas fiévreux d'enfant des rues.

Noël 39

Marguerite est trop énervée pour dormir, ça fait un siècle qu'elle tourne dans son lit en soupirant. Pensez donc, tout à l'heure, elle va retrouver son homme. Elle triture sans cesse le petit carton où il a écrit « Mon amour, retrouve-moi à la gare de A., le 24 vers midi, nous passerons Noël tous les deux, je te le jure ». Auparavant, elle n'avait jamais connu Pierre aussi éloquent dans ses mots de tous les jours. « C'est un homme, les hommes ne disent pas », avait résumé Raymonde quand Marguerite lui avait confié sa déception sur la brièveté des lettres de son mari. Elle lui avait raconté aussi le départ de Pierre à la guerre. Ce baiser frôlé sur le seuil de la cuisine et ce « Je t'aime » murmuré à son oreille alors que Germaine les contemplait sur le pas de sa porte. Dans cette nuit blanche, à l'orée de Noël, elle revoit son bref signe de la main où elle avait vu briller son alliance. Elle avait bataillé jusqu'au bout mais il n'avait pas voulu qu'elle l'accompagne à la gare. Elle aurait voulu rester collée, emboîtée en lui jusqu'au marchepied du train. Le départ de Pierre l'avait laissée sans force, exsangue. Elle avait renoncé à piocher le jardin et s'était réfugiée dans sa chambre dont elle avait fermé bruyamment les volets pour signifier au monde son chagrin et sa réclusion.

C'était il y a un peu plus de trois mois. La voilà libérée de cette attente qui l'emprisonnait comme une gangue. Le train est dans six heures mais Marguerite ne tient plus. Elle se lève, s'enroule dans son châle grenat et tisonne le feu de la cuisinière avant d'inspecter tout ce qu'elle veut emporter. Il y a sur la table plus de victuailles qu'il n'en faut pour un réveillon de Noël en tête à tête : les bocaux de terrine et de civet de lapin voisinent avec ceux de mirabelles et de cerises à l'eau de vie. Marguerite a confectionné aussi un gâteau aux pommes, des rochers à la noix de coco et des petits croûtons de pain grillé frottés d'ail pour accompagner le civet. Tout en refaisant le compte de ses provisions, elle consulte l'horloge et décrète qu'elle a encore le temps de préparer des biscuits à la farine de gaudes. Elle casse deux œufs sur le bord de son saladier et les mélange avec le beurre, le sucre et la farine qui deviennent ensemble une pâte qu'elle étale au rouleau sur la table de la cuisine. Elle forme des biscuits tout ronds avec un verre puis les dispose sur la plaque du four de sa cuisinière où ils dorent rapidement. Marguerite aime cette recette confectionnée dans l'urgence qui lui rappelle les retours d'usine de Pierre quand il lui prenait l'envie de le régaler au plus vite. Une bouffée de chaleur l'assaille quand elle sort du bout des doigts les gâteaux du four. Elle ouvre la fenêtre, pousse les volets de la cuisine qui battent dans la nuit glacée.

Marguerite se gave d'air froid et sourit dans l'obscurité ; elle aime cette liberté d'aller et venir à n'importe quelle heure, sa solitude lui pèse moins quand elle peut faire ainsi ce que bon lui semble, même si elle sait qu'aujourd'hui la perspective de revoir Pierre contribue largement à sa joie. Elle veut ses bras, sa bouche, ses yeux, mais pas trop vite. Il faudra qu'il prenne son temps, qu'il lui parle, qu'il la cajole, qu'il la frôle, qu'il la caresse avant de l'emmener plus loin au lit. On ne peut pas faire tout, tout de suite, pense Marguerite en disposant soigneusement ses gâteaux secs dans une boîte en fer-blanc. Elle veut que le désir monte longuement en eux après une si longue attente. Et puis, ils ont tant à se dire, tous ces mots que Marguerite lui adresse dans la solitude de ses murs. Il ne se passe pas un jour sans qu'elle ébauche un de ces dialogues à sens unique qui la ferait prendre pour une folle, si un visiteur l'entendait. Tiens, cet après-midi encore, elle lui demandait son avis sur la manière dont elle avait emmanché le merlin sur le billot du bûcher. Sûr qu'il aurait dit d'abord : « J'aurais pas fait comme ça » en guettant sa déception, avant d'éclater de rire en s'exclamant : « Mais c'est très bien, ma poule ! »

À cinq heures trente, Marguerite est prête à partir. Elle a disposé ses effets personnels dans une petit valise en carton marronnasse. Les victuailles sont réparties dans le panier qu'elle a acheté à André et le sac à dos de Pierre qu'elle portera sur ses épaules. Ainsi harnachée, elle ferme avec soin son logis tandis que le ronflement d'une motocyclette amplifie jusqu'à ce que le phare de la machine déchire l'obscurité de la cour. Engoncée dans son long manteau de cuir, Raymonde lâche le guidon de sa Terrot et lève les bras au ciel : « Mais tu déménages sur la ligne Maginot ! » crie-t-elle dans le vacarme de sa moto. Marguerite pose ses bagages au sol, marque un temps, et éclate de rire dans la nuit. « C'est tout pour mon homme », miaule-t-elle. Les deux femmes s'y reprennent à plusieurs fois pour charger la motocyclette et roulent au pas jusqu'à la gare.

Marguerite croyait être en avance mais le train est déjà à quai. À peine le temps de récupérer son panier que Raymonde lui tend en lui chuchotant un long « Merde », et le chef de gare siffle le départ. Elle aboie un « Merci » comme une bouteille à la mer tellement elle se sent déjà loin. Elle frotte vigoureusement la buée sur la vitre du wagon mais bute sur le rideau opaque de la nuit. Quand le mince filet grisâtre du jour commence à poindre, elle dort paisiblement, une main sur sa valise, l'autre sur son sac à dos, son panier qui déborde de victuailles entre ses jambes. Il n'y a pas âme qui vive dans ce train qui la rapproche du front, une veille de Noël.

Quand elle se réveille, peu avant sa correspondance, Marguerite contemple les murs de briques d'immenses filatures et des paquets de neige sale au pied du ballast. Le vaste hall de la gare où elle débarque est encombré de soldats qui bivouaquent sur le carrelage. Au hasard, elle pousse une porte vitrée et pénètre dans une salle d'attente surchauffée. L'air empeste le tabac froid et la sueur aigre. Un militaire ronfle, le haut du corps et la tête emmitouflés dans sa capote. Sur un banc, un autre soldat tartine minutieusement une demi-baguette avec une monumentale tranche de pâté posée sur une feuille de papier kraft. Soudain, Marguerite se sent submergée par cette humanité crasseuse et fatiguée. La guerre n'a rien d'héroïque dans cette salle d'attente où elle cherche désespérément un regard bienveillant. Elle se colle au mur face à la porte vitrée à travers laquelle elle peut consulter le tableau des correspondances. Son train est dans une heure, elle soupire en se tordant les doigts à l'idée de cette attente qui lui pèse déjà. Une bourrasque de neige s'est abattue dehors, les voyageurs secouent leurs habits constellés de flocons quand ils pénètrent dans la gare. Une femme vient de rentrer dans la salle d'attente, chapeautée, gantée, son long manteau ourlé de neige. Marguerite se dit qu'elle a dû se tromper de salle, car elle lui paraît bien trop élégante pour voyager dans la classe la moins chère. Elle cherche en vain une place assise mais ne se résigne pas à quitter l'endroit, se rapproche de Marguerite et lui chuchote : « Ces messieurs ne sont pas très galants pour des militaires. » Marguerite ne sait quoi penser de cette confidence subite. Pour elle, les soldats sont des hommes trop fatigués par la guerre pour être polis avec les femmes. On leur doit le respect mais elle ne se voit pas le dire à cette dame qui lui semble bien trop suffisante dans cette gare, la veille de Noël, pour être de son monde. Et puis elle est pomponnée comme si elle allait au bal, avec sa poudre de riz et son parfum de violette.

Marguerite observe en coin cette gravure de mode de Paris qui fait tache parmi ce rassemblement de troufions. L'autre a dû sentir sa gêne et s'engage en terrain connu pour tenter de nouer la conversation : « Vous allez voir votre mari, votre fiancé ? » Sa voisine se sent piégée

par la question mais elle se croit obligée de répondre :
« Oui, je vais essayer de le voir à A. » L'élégante tapote
légèrement la main droite de Marguerite qui frisonne de
méfiance. « Comme moi, nous allons voyager ensemble
alors », assure la femme. Marguerite ne répond pas, un
silence pesant s'installe. « Je vous dis ça parce que c'est
pas toujours facile d'atteindre A., enchaîne la voyageuse.
Mon mari est officier, ça peut nous aider. » Marguerite
tique sur cette dernière phrase qui la fait sortir de sa
réserve. « Je vous remercie, je pensais y arriver toute
seule », bredouille-t-elle en constatant que c'est la première fois qu'elle prend le train toute seule.

Quand elle était enfant, chaque année son père les
emmenait à la foire gastronomique avec un billet de
troisième classe. Ils mangeaient un gâteau aux pommes
et buvaient du cidre durant le trajet. Il n'était pas question de dépenser de l'argent pour se restaurer à la foire.
Là, elle côtoie une belle femme d'âge mûr et envie son
aisance à se mouvoir ainsi dans les transports d'un pays
en guerre. « Moi, c'est Colette, je viens de Paris », dit
la femme en empoignant cette fois fermement les deux
mains de Marguerite entre les siennes. La jeune femme
répond sobrement : « Je m'appelle Marguerite » et
se refuse à dévoiler son lieu de provenance tant il lui
semble insignifiant face à Paris dont elle ne connaît que
la magnificence vantée par le journal et les actualités
au cinéma. Colette a tout saisi de ce mélange de timi-
dité et de maladresse. « Tenez, je vous offre un café »,
décrète-t-elle, mi goguenarde, mi tendre, et elle ajoute
devant l'air hésitant de Marguerite : « Nous aurons lar-

gement le temps de le boire. De toute façon, le train pour A. n'est jamais à l'heure. »

Au buffet, les deux femmes commandent deux grands crèmes. Marguerite remue machinalement sa cuillère dans sa tasse quand Colette désigne du doigt ses bagages qui encombrent la banquette où elle est assise : « Vous allez le gâter, hein ? » Marguerite sourit pour la première fois depuis le début de leur conversation et raconte avec force détails toutes les nourritures qu'elle a cuisinées pour son homme, son « Pierre qui aime tant le sucré ». Colette approuve, attendrie, veut tout savoir de la recette du pâté de lapin et de celle des gâteaux de gaudes. Marguerite est en train de mélanger à haute voix le beurre, le sucre et la farine quand le chef de gare surgit dans le buffet de la gare et lance : « Le train pour A. de onze heures est réservé aujourd'hui aux militaires. Les civils devront prendre le suivant. »

C'est comme un coup de tonnerre dans le ciel de Marguerite. Elle se voit déjà s'en retourner sans avoir vu Pierre qui l'aura attendue en vain la veille de Noël dans une tempête de neige. Colette, elle, se lève aussitôt d'un pas assuré pour aller au contact du cheminot. Tétanisée, Marguerite l'entend marteler d'une voix sans appel : « Vous ne pouvez pas nous faire ça » avant de se retourner en la désignant : « Nous sommes femmes d'officier et nous venons toutes les deux de Paris. Je ne vous dis même pas le calvaire que ce fut d'arriver jusqu'ici. Ce n'est pas avec des trains comme ça que l'on gagnera la guerre », menace Colette. Le chef de gare hésite mais ne résiste pas longtemps. « Je reviens », dit-il en fronçant les sourcils. « Rassemblons nos affaires, je suis sûre que cela va fonctionner », assure Colette.

Quand le cheminot rapplique, il a l'air sinistre : « Venez, ça marche pour cette fois mais ce sera la dernière », dit-il en conduisant les deux femmes à un wagon de première classe où sont déjà installés une poignée d'officiers. Colette connaît l'un d'entre eux et fait les présentations. Marguerite se dit que, dans une autre vie, elle aurait pu être leur bonniche, à tous ces gens-là. Elle se cale sur son siège qu'elle n'a jamais connu aussi moelleux dans un wagon de chemin de fer.

Le train roule doucement, s'arrête brusquement dans un crissement des freins, puis repart dans le chuintement grandissant de la vapeur et le sifflement de la locomotive. Marguerite s'attarde sur l'horizon enneigé à la recherche d'un détail, d'un relief qui pourrait évoquer la guerre mais elle ne voit que des boqueteaux et des haies buissonnantes dessinant un bocage désolé au milieu d'une mer de neige. Elle finit par s'assoupir, bercée par le grondement monotone des boggies, et sursaute quand la voix de Colette la tire de son sommeil. « Nous sommes arrivées », sourit-elle. Sur le quai, un soldat attend l'épouse d'officier et s'empare de ses bagages. C'est l'ordonnance de son mari. Il dévisage Marguerite avec un rictus de dédain et sa voix sonne faux quand il lui propose de porter son sac à dos. La jeune femme refuse. Elle n'imaginait pas que les militaires puissent se comporter ainsi sur le front comme des domestiques et des maîtres alors qu'elle les croyait tous frères d'armes. Et avec ce troufion à ses basques, Colette lui semble désormais une de ces dames des beaux quartiers à qui, dès l'enfance, elle devait céder le passage sur les trottoirs de la grand-rue. Avec leurs toilettes et leurs parfums insensés, Marguerite les considérait comme des créatures surnaturelles, inaccessibles. Aussi, elle décline la proposition de Colette de monter dans l'auto qui doit la conduire auprès de son mari.

La gare de A. est un bâtiment bas à deux ailes qui s'étirent sur un monticule de glaise maculant la neige. Une avenue de platanes taillés en trogne file en pente douce vers un centre-ville que l'on aperçoit désert et sans grâce dans le silence mat de l'hiver. Il n'y a pas âme qui vive, mis à part une paire de corbeaux qui s'entêtent à fourrager un tas de fumier posé dans un jardin grillagé. Quelques choux finissent de pourrir entre deux rangées de poireaux ployant sous la neige. Marguerite se perd dans la contemplation de ces pauvres légumes d'hiver alors que le froid humide du sol s'incruste dans ses bottines. D'abord, elle ne prête pas attention au couinement plaintif, en provenance de l'avenue, qui se rapproche par saccades. Pierre est pourtant là, petite silhouette pathétique qui bataille avec un méchant vélo à roue fixe dans les ornières de neige fondue de l'avenue. On dirait une marionnette maltraitée par des doigts invisibles qui menacent de l'envoyer au sol à chaque tour de roue. Il lève le bras gauche à plusieurs reprises pour alerter Marguerite qui ne le voit pas. Il veut crier, hurler mais il est muselé par l'émotion et l'effort. Il vit un mauvais rêve. À force de se démener, une plainte aiguë finit par sortir de sa gorge. Marguerite croit entendre un vagissement d'enfant quand elle lève la tête. Non, ce pantin qui s'agite sur une bicyclette ne peut pas être son homme. Mais à mesure qu'il se rapproche, elle doit se faire une raison : c'est bien Pierre qui vient ainsi dans sa vareuse trop grande, le calot de travers sur le front. Elle l'accueille avec un fou rire irrépressible qui inonde ses yeux de chaudes larmes dans la froidure de cette veille de Noël.

Pierre jette son vélo sur le sol enneigé et reste de longues secondes les bras ballants à quelques centimètres de sa femme qui se tortille de rire. Une boule de trac lui plombe le ventre jusqu'à ce qu'il caresse son cou avec sa main droite et dépose un baiser sur son front. Marguerite lève les yeux vers lui, un tendre sourire a remplacé son fou rire nerveux. La voilà qui cherche ses lèvres qu'elle happe dans un baiser sans fin.

Ils restent longtemps sans voix, lui conduisant son vélo d'une main et enlaçant sa femme de l'autre. Un clocher sonne deux heures. Elle lui demande « Tu as faim ? », comme s'ils s'étaient quittés la veille. Il répond, comme lorsqu'ils vivaient ensemble, d'un rapide et enjoué hochement de tête qui dit son approbation. Ils longent la belle façade à colombage d'un hôtel où montent les riches parfums de la cuisine de fête. Mais ce n'est pas pour eux. « Tout est réservé pour les officiers et leurs familles, prévient Pierre. Mais je nous ai trouvé quelque chose, un petit nid rien que pour nous. » Ils bifurquent dans une ruelle qui sent les eaux grasses et les cabinets. Pierre frappe à une porte nichée dans un renfoncement. On dirait une planque, un passage secret. « C'est un endroit que l'on se refile entre copains », se justifie-t-il. Une femme sans âge vient leur ouvrir. Elle est aussi grise que les murs du corridor où elle conduit le couple. L'escalier est étroit et obscur, Marguerite s'accroche à la main de Pierre qui la précède derrière la femme. Encore deux tours de clé et une porte s'ouvre sur une pièce que l'on dirait borgne car l'unique fenêtre est calfeutrée avec une épaisse couverture derrière de lourds rideaux grenat. L'air empeste la naphtaline et la javel. Un monumental édredon couleur rouille trône sur le lit qui occupe une grande partie de la chambre. « Pour les serviettes, il y a un supplément », grogne la femme en désignant le lavabo entartré par le goutte à goutte du robinet.

« J'ai ce qu'il faut, jappe Marguerite.

— Comme vous voudrez », conclut la femme en refermant la porte.

Marguerite n'avait jamais imaginé un lieu aussi morne durant ses trois mois d'attente. Alors quand Pierre veut l'entraîner au lit, c'est comme si c'était une première fois, mais sans joie ni tendresse. Il est pressé comme un conscrit, souffle comme un bœuf dans son cou, donne des grands coups de rein dans son ventre. Pour Marguerite, c'est une sorte d'apnée qui la laisse sans plaisir, sans voix, sans réaction. Vite, elle sent son sperme couler le long de sa cuisse, elle voudrait lui dire que ce n'est pas le bon jour mais elle a peur de le décevoir depuis le temps qu'ils n'ont pas fait l'amour. Alors elle l'écoute gémir, lui dans sa jouissance, elle dans sa déception. C'est un peu un étranger qui vient de se retirer d'elle. Elle contemple son dos blafard tandis qu'il s'assoit au bord de lit puis se penche par terre à la recherche d'une poche de son uniforme où il a laissé ses cigarettes.

Il fume sans se retourner sur elle, sa tête se détache sur les médaillons défraîchis du papier peint de cette piaule d'adultère. Elle aperçoit son alliance quand il se gratte la nuque, et le mince anneau d'or lui paraît incongru. Est-ce cet homme qu'elle a épousé en août dernier ? Elle cherche dans son corps nu, muet, un détail où elle pourrait arrimer sa mémoire. Mais sa peau est devenue trop lisse, ses cheveux trop ternes, ses muscles trop flasques pour ressusciter en elle cette boule d'émotion et de désir qui enflammait son ventre au cœur de l'été. Marguerite appréhende l'instant où il va se retourner, où son regard va croiser le sien. Alors elle ferme les yeux tandis qu'il se recouche et dépose un baiser sur ses lèvres. « Tu t'endors ? » souffle-t-il. Elle n'a aucune envie de répondre, serre encore un peu plus les paupières le temps de trouver le courage d'émettre un « non » un peu triste, un peu résigné. Puis elle ouvre les yeux et scrute le visage de Pierre. Brusquement, c'est la fossette sous son menton qui les sauve. Cette fossette qu'elle n'en finit pas de lorgner tellement elle « signe » depuis toujours son homme ; elle le retrouve enfin à travers ce délicat petit creux de son visage. Marguerite vient de renouer avec le fil de leur histoire qui se déroule en accéléré dans sa tête. Leur rencontre, leur premier baiser, leur première nuit, leur mariage, la vie à deux. Les images affluent tandis qu'elle mordille, caresse du bout des doigts son menton. Ça y est, Pierre est là. Au creux de ce mauvais matelas, au creux de ses reins, au creux de cet après-midi désolé de veille de Noël. Il est beau partout. Quand il bâfre les gâteaux de gaudes, enchaîne sans sourciller sur le pâté de lapin et lèche ses doigts qu'il vient de tremper dans le bocal de civet. « Faudrait un réchaud », qu'il dit en brandissant sa gamelle de soldat. La logeuse n'en a pas. De toute façon, même si elle en avait un, elle ne leur proposerait pas, songe Marguerite.

Les voilà tous les deux dans la rue. Rieurs et terriblement amoureux. Ils se bécotent avec fièvre, pataugeant dans la neige fraîche. Veulent tout voir de ces rues vides où de nombreux volets sont clos. Une venelle les conduit jusqu'à l'église où une crèche en bûchettes de noisetier et toit de paille est posée sur un lit de houx. Marguerite s'agenouille devant les santons tandis que Pierre farfouille dans la sacristie. Il en revient triomphant, brandissant un réchaud, une bouteille d'alcool et un caquelon sous le regard hostile de sa femme. Elle lui dit qu'il ne faut pas, que la guerre n'autorise pas tous les excès. Il lui répond que c'est un drôle de Noël mais que c'est « leur » Noël et que ce n'est pas parce qu'ils sont loin de chez eux qu'ils doivent manger froid. De toute façon, il ramènera le réchaud demain.

« Demain ? s'étonne Marguerite. On n'est pas ensemble le jour de Noël ? » Pierre lui prend les mains et ils s'assoient chacun, face à face, sur un prie-Dieu. « Je voulais te dire que ce n'est pas une vraie permission. Parce que je n'y ai pas eu droit à cause d'une peau de vache d'officier qui ne peut pas me voir en peinture. Lui, il s'en fout, hein, il est bien au chaud avec sa femme à l'heure qu'il est. Pas en train de chercher un réchaud. Moi, ça m'était insupportable de ne pas te voir. Alors tu vois, je suis venu quand même avec l'aide des copains. Mais pas plus tard que demain matin, sinon je risque de me faire coincer par ce con d'officier. » Marguerite ne veut pas lui montrer sa déception, alors elle compte mentalement le nombre d'heures qu'ils ont encore à passer ensemble. Douze pour sûr, peut-être quatorze, voire seize. C'est si peu et, pourtant, on va les remplir à ras, ces heures, se promet-elle.

Alors de retour dans la chambre, alors qu'il est en train de bricoler le réchaud, elle s'empare de lui sans détour. Elle veut jouir, vite, tout de suite. Il fait si froid maintenant qu'elle croit voir la vapeur de son souffle monter dans la pénombre. Soudain, sa respiration lui échappe, l'air lui manque dans ce grand éclair de plaisir qui traverse son corps. La guerre est loin, si loin quand son homme nu, débarrassé de ses habits de soldat, s'effondre sur elle dans un éclat de rire presque enfantin. Elle veut soulever ses épaules pour contempler ses yeux mais il s'enfouit dans son cou, insouciant, repu. La sauce du lapin clapote dans le caquelon, le fumet du civet se mêle aux relents de tabac froid et de sueur tandis que Pierre s'endort. Marguerite se lève doucement pour éteindre le réchaud. Elle se recouche en relevant les draps et les couvertures au plus près de leurs têtes.

À cet instant, elle a l'impression qu'ils ne se sont jamais quittés, que les dizaines de nuits qui les ont séparés n'ont jamais existé. Elle prend sa main droite qu'il a posée sur l'oreiller et retrouve chacun des cals qui lui étaient familiers. Les yeux fermés, elle cherche le grain de beauté au sommet de son index et le localise au millimètre près. Elle sourit en constatant que Pierre occupe sa place habituelle dans le lit, bien calé à droite, couché sur le ventre. Minuit sonne au clocher,

Marguerite attend le douzième coup pour s'étendre sur le dos de son homme et lui souffler à l'oreille : « Joyeux Noël, mon amour. » Il se retourne, sans hâte, l'enlace, les yeux mi-clos, et marmonne : « Toi aussi, ma merveille. » Elle tire sa valise de dessous le lit, l'ouvre et en sort un gros pull à col roulé noir en côtes anglaises, qu'elle pose sur ses épaules. « C'est pour que tu aies bien chaud. Je l'ai tricoté cet automne. » Il lève les yeux au ciel : « Elle pense à tout, ma petite femme, merci. »

Pierre se lève d'un bon et farfouille une poche de sa capote dont il sort un minuscule paquet cadeau. Impatiente, Marguerite peine à le défaire et découvre sous plusieurs couches de papier une bague en nickel ornée d'un cœur. « C'est un copain qui fait ça dans notre casemate », lâche Pierre, avec une once de fierté. Marguerite arbore un large sourire mais, en caressant ce petit bout de métal, c'est la guerre qui se rappelle à elle. Elle imagine les culasses des canons et des fusils, les fusées d'obus effilées, l'odeur de cuir des cartouchières et des ceinturons. Elle se sent étrangère, exclue de ce monde-là qui lui a volé son mari et, ce soir, elle se surprend à être jalouse. Elle tripote l'anneau que lui a offert Pierre sans savoir quoi en faire. « Tu ne la portes pas ? » demande-t-il avec une insouciance qui l'agace. Elle voudrait qu'il pense comme elle à ce moment-là, que ce métal dont on fait les bagues emportera une vie, dans un jour, une semaine, un mois, fiché dans un cœur, une cervelle, crevant une aorte, une carotide ou une artère fémorale. Que la fiancée d'un Français, la femme d'un boche qui pleurera son compagnon n'imaginera jamais que le biffin qui a tué son mari est à ses heures ferblantier, ciseleur de bouts de munitions détournés en présents d'amour.

Marguerite se dit que rien n'a changé depuis l'affreux culte de la guerre et de ses chagrins que lui rappelaient, gamine, la paire de vases ciselés dans des douilles d'obus que son père conservait pieusement sur la tablette de la cheminée. Elle se revoit en train de briquer les feuilles de chêne sculptées dans le laiton, hostile à ces reliques qu'elle trouvait aussi laides et tristes que la vie de ses parents. Elle contemple Pierre, intrigué devant son peu d'empressement à porter son cadeau. Et si lui aussi se préparait la même vie que ses prédécesseurs, les poilus. La guerre, d'abord, avec son cortège de morts, d'estropiés, d'horreurs à tout-va. Et puis la paix, ou plutôt le silence et la solitude du deuil et toutes ces années au feu que l'on ressasse ou que l'on tait dans la même noirceur.

L'anneau glisse doucement sur son doigt mais bute sur sa phalange. Elle la mouille avec un peu de salive pour ajuster le bijou plus bas, le cœur face à elle. « Voilà, je ne la quitterai plus », soupire-t-elle. Pierre sourit :

« J'ai faim.

— Eh bien je vais réchauffer le civet », décrète Marguerite.

À cet instant, ils se parlent comme s'ils étaient encore dans leur vie d'avant, leur vie de paix. D'ailleurs, Pierre mange avec cette même tranquillité, comme s'il allait lui parler de l'usine, sauf que là, il ne dit rien. À part « C'est bon ». Plusieurs fois. Marguerite non plus ne sait pas quoi répondre. Elle lave le caquelon dans le lavabo, comme si elle faisait la vaisselle sur la pierre de leur évier. Pierre fume, couché sur le lit. Noël n'est déjà plus. Chacun dans son coin, ils pensent à cette vie à deux qui va à nouveau s'achever dans quelques heures quand, peu après l'aube, Pierre remontera sur son vélo à roue fixe pour rejoindre la ligne Maginot. Certes, les copains ne l'accueilleront pas comme un héros, mais ils l'envieront. Marguerite, elle, sent déjà le froid de sa cuisine quand elle ouvrira la porte.

Juin 40

La nuit dernière, Marguerite n'a pas fermé l'œil. Elle s'est assise sur le rebord de la fenêtre, scrutant par l'entrebâillement des volets le flot ininterrompu de l'exode s'étirant le long du faubourg. C'est une masse informe, grouillante, hétéroclite où elle devine dans l'obscurité des autos qui roulent tous feux éteints par crainte de bombardements, des tombereaux écrasés par leurs chargements, des bicyclettes, des animaux de trait et surtout, surtout, des escouades de piétons, familles agglutinées autour d'une carriole, d'un landau, où l'on a installé les plus fragiles, vieillards, nourrissons, mères allaitantes, malades. Parfois, un phare d'auto vient déchirer cette nuit misérable donnant à voir une paire d'yeux rougis et humides de fatigue, un enfant endormi sur un empilement d'édredons et de matelas qui menace de s'écrouler. Marguerite surprend le regard sans vie d'un vieillard qui semble aller, résigné et morne, comme une bête à l'abattoir. Quel âge avait-il en 1870 quand les Prussiens sont venus ? Puis lorsque le tocsin a sonné le 1er août 1914 ? C'est toute une vie dans la guerre qui s'en va vers sa fin, demain dans un fossé ou un camp de réfugiés. Cette fatalité enrage Marguerite, qui dans sa colère enfonce ses ongles dans le bois vermoulu des persiennes. Pourquoi plier devant un tel destin quand, de toute façon, il s'accomplira ? Autant dire sa rage, son refus, faire un bras d'honneur plutôt que de tendre la joue : Marguerite n'a pas voulu partir quand on a déclaré la ville ouverte. Allez où ? Avec qui ? L'exode, c'est pour les autres. Passe encore pour les petits vieux comme Germaine, que de lointains cousins ont posée comme une momie entre deux matelas sur une charrette à bras. Mais les autres, ces flopées de civils bien nourris, ces moutons dans la force de l'âge qui ont rangé leur argenterie et leurs bijoux sous les sièges arrière de leur Peugeot 202, Marguerite déteste leur fuite misérable, leur abandon fataliste. Alors quand une première fois une main s'avance vers elle dans la nuit pour réclamer un peu d'eau, elle referme d'un coup sec les volets, pleine d'une morgue qui la surprend elle-même. Jamais elle ne s'est sentie imprégnée d'un tel dédain pour l'humanité qui l'entoure. Elle devine les raisons de son mépris dans sa solitude, son affranchissement de cette vie sans homme et ce pas à pas vers cette liberté inédite qui l'inquiète mais la grise aussi. Non, elle ne fuira pas vers le Sud en abandonnant son chez-elle. On toque à nouveau aux volets : elle devine la crinière rebelle d'un gosse qui s'agrippe aux persiennes. Marguerite ouvre un battant et découvre deux grands yeux cernés dans le rai de lumière venu de l'intérieur. Le gamin la fixe crânement.

« Tu veux quoi ?

— Du lait. Mais si vous n'avez pas, de l'eau ce serait déjà bien. »

Marguerite aperçoit le bidon du gosse qui cogne contre le mur. « Du lait, j'en ai pas, mais donne ta bouille. » Elle va la remplir à l'évier, songeuse, en écoutant le filet d'eau qui fait tinter le fer-blanc du récipient et le miaulement d'un nourrisson venu du dehors. Elle s'empare du compotier plein des premières cerises de la saison et le renverse dans un panier. Elle ajoute des biscuits, un pot de confiture de mirabelles, une tablette de chocolat, une pointe de gruyère et une miche de pain à peine entamée. Le visage du gosse s'éclaire à la vue des victuailles.

« Tout ça, fallait pas, m'dame.

— C'est rien, tu t'appelles comment ?

— Denis.

— T'as quel âge ?

— Treize ans, bientôt quatorze.

— Vous venez de loin ?

— Non, mais ça n'avance pas. On est dans votre ville depuis hier soir.

— Vous allez où ?

— Chez des cousins, à Lyon.

— Dépêche-toi de rattraper les tiens.

— Et votre panier, m'dame ?

— Garde-le, j'en ai d'autres.

— Merci, un jour peut-être que je vous le ramènerai. »

Marguerite ne sait plus à qui répondre car le gosse a déjà rejoint l'ombre du troupeau de la débâcle. À l'Est, la lueur de l'aube pointe, mince comme un cheveu dans l'épaisseur de la nuit finissante. Un train gronde dans le bas de la ville. Les convois de réfugiés traversent à toute vapeur les faubourgs. Adossée au mur de sa chambre, Marguerite contemple son lit, hésite à le défaire puis remet en place le coin du couvre-lit qu'elle vient de soulever. Il faudra qu'elle en confectionne un nouveau car les motifs à fleurs jaunes sur fond bleu ne lui plaisent plus. Elle sourit maladroitement, se sent perdue à l'idée de songer ainsi à de futiles travaux de couture alors que la guerre défile sous ses fenêtres. Mais elle sait qu'en se raccrochant ainsi à son intérieur, elle repousse un peu cette peur qui l'oppresse depuis qu'elle contemple des escouades de soldats parmi le raz-de-marée des civils s'enfuyant vers le Sud.

Depuis la semaine dernière, elle a remonté les longues files de fuyards, dévisageant les soldats épuisés, lorgnant le col de leur vareuse pour identifier le numéro de leur régiment, questionnant les ambulanciers sur les blessés qu'ils transportaient. Elle a vu passer des officiers hautains dans leurs voitures avec chauffeur ; entendu un colonel hurler, comme fou, quand le boulanger lui a dit manquer de pain pour nourrir ses hommes. Elle a blêmi quand elle a vu du sang séché maculant le méchant pansement sur le front d'un troufion. Elle a frissonné quand un homme sans âge, débraillé, en sueur sous son casque, s'est arrêté pour remplir sa gourde à la pompe du jardin et lui a soufflé : « Ma petite, il ne faut pas rester là sinon les boches vous feront du mal quand ils arriveront. » Puis il est reparti vers la rue, ses gros godillots foulant péniblement le gravier de la cour. Marguerite l'a vu secouer la tête, quand encore une fois, elle a posé sa question comme on lance une bouteille à la mer, sur le régiment de Pierre. « Vous ne l'avez pas vu, hein ? » a-t-elle répété comme une litanie. L'homme ne s'est même pas retourné. Elle a vu ses épaules se hausser dans un mouvement de résignation. « Comment voulez-vous que je sache où est votre mari alors que, moi-même, je ne sais plus où je suis ? »

Depuis Noël, Marguerite n'a pas revu son homme. Elle garde en mémoire comme une ultime relique le parfum aigrelet de sa peau blanche après l'amour dans cette petite chambre puant les remugles du renfermé et du civet froid. Où est-il donc à cette heure, cet homme qui l'avait conquise par sa tendre insouciance, sa tendre assurance, sa bonté sans calcul ? Marguerite se le figure vivant. Mais dans quel état ? Elle y songe quand elle moud sa demi-livre de café, tourne consciencieusement la manivelle, les yeux dans le vide. Dehors, le grand jour est là. Le flux des réfugiés se tarit, laissant peu à peu la place à des petits groupes épars et hagards. Le silence s'installe, lourd, pesant. Marguerite n'y prend pas garde alors que ronronne son moulin écrasant les grains de café et que l'eau bouillante glougloute dans la bouilloire. Les premières gouttes de café résonnent au fond de sa cafetière posée sur le coin de sa cuisinière. Elle cherche un bruit familier pour briser ce silence. « Tiens, on est lundi. C'est le jour des abattoirs », se dit-elle. Là-bas, habituellement, au bord de la rivière, on rassemble les troupeaux que l'on entend mugir jusqu'ici. Les bœufs, surtout, meuglent longuement tandis que des tribus de porcs en furie grognent jusqu'à l'épuisement. Après, c'est la sirène de l'usine qui retentit. Son Pierre est parti depuis longtemps, car il ne veut pas être en retard.

Aujourd'hui, les hommes sont à la guerre, quelque part entre Belfort et Strasbourg. Sont-ils vivants, morts, prisonniers ? Jamais Pierre n'a dit mot sur la guerre de positions, les accrochages, le danger. Marguerite n'a que les souvenirs ressassés par son père pour imaginer les combats d'aujourd'hui. Mais comment envisager les combats de la ligne Maginot, l'offensive des chars quand vous avez été élevée dans la célébration de Verdun et du chemin des Dames ? Marguerite est condamnée à la confusion entre ces deux guerres, entre les vaillants poilus de 14 et les gardiens immobiles des forteresses de 39. Et puis après tout, qu'est-ce qui est le plus la guerre ? La boucherie de la première ou l'étrange commencement de la seconde ? Marguerite n'a pas la réponse, elle plonge dans son bol comme on se love dans un refuge. Il y a l'odeur rassurante du café qui lui dit que la vie revient chaque matin. Sûr qu'un autre lundi, elle retournera aux abattoirs pour acheter un engageant morceau de paleron, un élégant rognon ou une demi-tête de cochon pour confectionner un fromage de tête qui fera le casse-croûte de son homme. Car Pierre reviendra, aura de nouveau le visage bruni par le feu du cubilot, les pores de la peau obstrués par le noir de fonderie. Et Marguerite se fera un malin plaisir de le frotter au gant de crin tandis qu'il lapera son flan à la vanille.

Raymonde débarque peu avant huit heures, pressée, concentrée. Tous les autres fonctionnaires sont partis. Mais elle, elle veut tenir « sa » poste.

« On est plus en sécurité ici que sur les routes. Une colonne de civils a été mitraillée hier soir à vingt kilomètres d'ici. Les morts sont encore dans le fossé ce matin et l'hôpital est débordé par les blessés, raconte-t-elle en buvant son café. Les Allemands seront ici dans la matinée. Viens à la poste en attendant qu'on y voie plus clair, tu seras plus en sécurité.

— Faut que je nettoie et que je nourrisse mes bêtes et celles de ma voisine Germaine.

— Tes poules et tes lapins attendront. C'est la guerre quand même.

— Non, je viendrai après, vers dix heures. Comme ça, j'aurai le temps de nous arracher des radis que l'on pourra manger à midi. »

Raymonde hésite entre la gravité et le rire face à la détermination et au calme de Marguerite qui entend mener sa vie comme bon lui semble alors que les Panzers sont aux portes de la ville. Elle sait qu'elle ne fera pas changer d'avis ce petit bout de bonne femme qui vaque à ses occupations comme si de rien n'était. Elle reste imperturbable quand deux Stukas passent au-dessus de la voie ferrée, à si basse altitude qu'on aurait cru qu'ils allaient étêter la rangée de peupliers. Raymonde a frissonné en entendant le bourdonnement des deux avions et la crânerie de Marguerite la laisse perplexe alors qu'elle remonte sur sa moto. « Tu n'oublieras pas de venir quand tu auras fini ton ouvrage », lance-t-elle debout sur le kick. Marguerite hoche la tête en balayant le seuil de sa maison avec un fagot de genêts.

Le silence recouvre vite le ronronnement de la Terrot qui s'éloigne. Il n'y a plus que le bruissement du balai végétal sur le ciment. Même les coqs se taisent ce matin. Marguerite ouvre la porte grillagée du poulailler pour jeter une mesure de grain aux poules qui se serrent les unes contre les autres dans une posture inhabituelle. Puis elle arrache une grosse botte de radis dont elle coupe les fanes pour donner à ses lapins. Il faut qu'elle s'occupe, Marguerite. Alors la voilà accroupie devant une bassine d'eau à couper la queue de ses radis et les laver un à un. Elle trie aussi un peu les feuilles tendres d'une salade de printemps qu'elle emballe délicatement avec du papier de journal. Une autre paire menaçante de Stukas vient de faire le tour de la ville avant de disparaître vers l'ouest. Marguerite se relève, mains sur les reins, et contemple le vide silencieux de l'horizon. Elle va chercher une faucille et un sac en toile de jute dans le bûcher. Il faut encore de l'herbe pour les lapins. Celle qui pousse derrière son jardin, en direction de la voie ferrée, est grasse et fournie. Il faut juste prendre garde à la rosée qui rend glissant cet accotement qui dévale vers le ballast. Marguerite s'accroche d'une main aux branches des arbustes séparant son jardin de ce fossé et coupe l'herbe de l'autre avec sa faucille. La tâche n'est pas des plus aisée sur cette pente raide où son ballot d'herbe menace de rouler au fur et à mesure qu'elle le remplit.

Elle est en train de couper un gros bouquet de panais sauvage quand une voix grave et posée brise le silence : « *Wasser, bitte*, madame. » Marguerite est tétanisée par ces mots d'allemand qui lui semblent, soudain, comme un coup de poignard dans le dos, une main sur ses lèvres qui s'apprêtent à hurler. Elle serre très fort le manche poli de sa faucille et la toile de jute de son sac rempli de trèfles. La perspective de se retourner la glace d'effroi. Elle sent un mince filet de sueur froide couler entre ses omoplates ; son sang bat dans ses tempes, ses jambes vacillent. Il n'est plus question d'assurance, de crânerie ou de courage. La panique l'étrille jusqu'aux tréfonds de son âme et de son corps.

« *Wasser, bitte* », insiste l'Allemand. Marguerite coupe sa respiration dans un effort ultime et se retourne, les yeux vers le ciel, comme si on allait l'abattre d'une salve de fusil. Mais en remontant vers la haie, son regard croise la silhouette d'un petit homme qui semble écrasé sous son casque. Ni hostile ni avenant, il contemple Marguerite sans impatience ni autorité. Son visage poupin tranche avec la martialité de son uniforme vert-de-gris et le long fusil Mauser qu'il porte en bandoulière. Il tend sa gourde en direction de la jeune femme qui presse son sac d'herbe contre ses jambes. De la rue provient désormais le bruit de plus en plus continu des convois allemands. Marguerite se voyait déjà morte et la voilà sans voix, aussi empotée que l'envahisseur face à cette rencontre inattendue et incongrue. C'est donc ça, la guerre ? Est-ce que les soldats ennemis se traitent ainsi quand ils se font face sur le front ? songe Marguerite en enfonçant la lame de sa faucille au milieu d'une touffe de panais qui s'échappe de son sac. Elle peine à remonter son fardeau en décrivant une grande boucle pour passer à l'écart de l'Allemand qui la lorgne comme une poule qui aurait trouvé un couteau, pense Marguerite. Depuis le dévers, elle l'avait cru blond. En fait, il est roux et encore plus petit que dans la pente. Marguerite reprend son souffle et tend la main vers la pompe à bras près du bûcher. Le soldat opine du chef et actionne le levier en fonte. À mesure que le filet d'eau grossit,

Marguerite est envahie par un flot de désespoir quand elle songe à Pierre remplissant son arrosoir en fer-blanc, à la fraîche d'août dernier, pour arroser les pieds de tomate. Elle revoit son cou tanné par le soleil penché sur le robinet tandis qu'elle équeute une brassée de haricots assise sur le seuil de la cuisine. La pierre est encore chaude du soleil du plein jour. Il lui faudrait rentrer mettre à chauffer une casserole d'eau mais elle s'attarde à contempler son homme qui va et vient paisiblement au milieu du jardin. Elle sait que, bientôt, il va s'immobiliser dans ses vieilles savates et la contempler avec une tendresse gourmande.

Le souvenir disparaît maintenant derrière un rideau de larmes qui assourdit les pas de l'Allemand alors qu'il se rapproche de Marguerite et la remercie d'un sage « *Danke* ». Tête baissée, elle aperçoit les bottes du soldat qui semblent concasser le gravier en s'éloignant. Des bottes de vainqueur.

Février 41

C'est le froid qui réveille Marguerite. Elle allume la lampe de chevet. Il est trois heures dix au réveil qui claque dans le silence de la nuit. Ses mains sont aussi glacées que lorsque la bise transperce ses mitaines quand elle traverse le pont pour aller au marché. Elle serre alors très fort son guidon, se hisse sur ses pédales et souffle des volutes de vapeur dans l'air. Ses pieds ne valent guère mieux posés contre la brique et la bouillotte qui étaient déjà refroidies alors qu'elle peinait à trouver le sommeil. Pourtant Marguerite se couche le plus tard possible, veillant au plus près de la fonte de sa cuisinière où les braises d'un gros rondin de chêne n'en finissent plus de mourir. Elle veut profiter de la chaleur du moindre tison avant de s'engouffrer dans la froidure de sa chambre.

Marguerite compte son bois, plus encore que ses tickets de rationnement. Elle ramasse le plus petit bout d'écorce, le rameau le plus minuscule pour faire durer son foyer. Le bûcher sera vide avant le printemps. La faute à la guerre, encore. Quand ils s'étaient mis en ménage en août 1939, Pierre avait rentré deux charrettes de chêne et de hêtre dans la cour. À la fraîche du petit matin, les samedis et les dimanches, il sciait et fendait les gros morceaux à la taille du foyer de la cuisinière. Marguerite aimait la cadence puissante et tranquille de son merlin s'abattant sur les troncs. Sur les coups des neuf heures, elle apportait à son homme un grand bol de café au lait qu'il sirotait assis sur son billot.

Pierre affirmait avoir calculé large sa provision de bois pour qu'elle dure un hiver et une bonne partie d'un autre. C'était sûr, cette guerre qui se rapprochait n'allait pas durer. Les Allemands se casseraient les dents sur la ligne Maginot et, après un hiver dans la neige au bord du Rhin, Hitler rappellerait ses fridolins. Le froid n'avait-il pas fait battre en retraite Napoléon en Russie ? Pierre n'était pas allé très loin à l'école mais il avait au moins appris le bon sens de la grande Histoire. C'était certain, il serait là à l'été 40 pour donner un coup de main aux copains d'usine qui bénéficiaient d'un affouage et lui céderaient vingt stères de bois pour son prochain hiver. Marguerite le voyait aussi installer un petit fourneau dans leur chambre, histoire qu'il y fasse toujours chaud. Le réveil dans des draps glacés, c'était bon pour une vie de célibataire. Et puis, il viendrait bien un jour – le plus tôt possible dans les vœux de Pierre – où elle pouponnerait. À l'été 39, ils n'osaient pas encore en parler concrètement mais cette idée de bébé émouvait Marguerite. Et plus encore que la venue d'un enfant, c'était leur farouche volonté de fonder une famille qui les enthousiasmait. Une famille sans larmes, sans gifle, sans la terreur des retours d'un père pris de boisson et la froideur perpétuelle d'une mère. Une famille où l'on s'embrasserait pour Noël en se faisant des cadeaux. Une famille où le mari prendrait sa femme par le cou, la main, devant ses enfants. C'était tout cela que le couple désirait ardemment avant le départ de Pierre à la guerre.

Au lieu de cela, le voici désormais au stalag, prisonnier des boches qui lui font écrire des lettres trop lapidaires pour être sincères, se dit Marguerite. Même ses mots d'amour lui paraissent désormais édulcorés par la censure allemande. Désormais, quand elle a fini de relire le maigre contenu des cartes postales types qu'il lui envoie, Marguerite déplie, comme un rituel, une feuille de pelure froissée par de multiples manipulations. C'est le dernier courrier qui a échappé aux Allemands. Pierre vient d'être fait prisonnier. Il est entassé avec des milliers d'autres soldats sur un terrain vague près d'une grande usine. C'est là qu'il confie sa lettre à un ouvrier alsacien en lui demandant de la porter au dépôt de la gare de M. à l'intention de Perrin le cheminot.

Marguerite connaît par cœur les pattes de mouche griffonnées fiévreusement au crayon de papier par son homme. « Ma femme, tu es ce que j'ai de plus cher, je veux que tu prennes soin de toi. Ne t'en fais pas, je suis bien traité. On dit que les Allemands ne nous garderont pas longtemps, que nous serons vite de retour dans nos famille », lit à haute voix Marguerite, dans le silence de sa chambre. Mais plus le temps passe, plus ces mots lui semblent sonner faux, étouffés par la réalité de l'Occupation. De tous les hommes mobilisés dans le faubourg, un seul est revenu du stalag pour enterrer sa femme, morte du cancer, et s'occuper de ses trois enfants en bas âge. Marguerite voit passer les petits le matin sur le chemin de l'école. Elle voudrait bien leur donner quelques sucreries mais elle ne sait pas comment les aborder tellement ils se serrent les uns contre les autres. Elle ne veut surtout pas qu'ils aient le sentiment d'être pris en pitié parce qu'ils n'ont plus leur mère. Alors Marguerite regarde ces trois mômes qui font un petit amas bleu dans leur pèlerine.

Vite se lever même s'il fait encore nuit noire, il restera au moins un tison. Marguerite ouvre le foyer, secoue les cendres pour apercevoir trois petits points rouges sur lesquels elle met du journal froissé et quelques brindilles. Le papier fume, s'enflamme avec le bois qui fait un feu réconfortant. Il ne reste plus que deux journées de rondin dans la caisse à bois. Marguerite pousse un grand soupir en jetant un peu de tilleul dans une théière joufflue. Elle ne supporte plus l'ersatz de café qui lui donne des haut-le-cœur. Mais surtout, ce matin, elle va devoir se résoudre à quémander quelques stères de bois auprès du père Grangier, le seul marchand de la ville qui en vend à cette saison. L'homme avait déjà mauvaise réputation avant-guerre. Il avait ses têtes. De préférence les nantis, les vieilles familles ayant de l'influence à qui il réservait le chêne bien sec et le charbon de qualité. Les autres avaient droit à du bois vert et de la poussière de charbon. Et c'est pire depuis l'Occupation. Il spécule, maltraite ceux qui n'ont pas d'autre choix que d'acheter sa marchandise médiocre. On dit aussi qu'il se comporte mal avec les femmes seules. Marguerite est bien décidée à ne pas se laisser faire.

Elle s'habille tout de gris comme une ombre triste qu'elle se sent être devenue. Il y a un an, elle nourrissait l'espoir que cette guerre finirait avec les beaux jours et que Pierre serait de retour, peut-être, pour la fête de la Saint-Jean. Mais maintenant, elle vit au jour le jour, se méfie de la moindre lueur d'espérance qu'elle considère comme un poison sournois. La voilà, enfermée dans le grand manteau d'hiver de Pierre qu'elle a retouché à sa taille. Elle dépose un gros seau d'eau chaude au milieu du poulailler pour réchauffer ses maigres volailles, puis sort sa bicyclette du bûcher.

La route est recouverte d'une croûte de neige sale et dure où les autos et les charrettes font des ornières gelées dans lesquelles Marguerite s'engage. Elle entend rugir dans son dos un camion militaire allemand qui klaxonne nerveusement pour qu'elle s'écarte de la chaussée. Marguerite donne un coup de guidon mais dérape sur la glace et chute dans le fossé. Quand le camion la dépasse, elle aperçoit des boches hilares devant sa mésaventure. Elle a l'odeur métallique et froide du gel dans la bouche. Jamais elle n'aurait imaginé qu'une femme fasse ainsi rire des hommes. Marguerite remonte sur son vélo, la selle est dure, racornie, elle lui entaille l'entrejambe. Même cet endroit-là, délaissé, est comme un petit amas de viande froide et douloureuse.

Elle avance, mâchoires serrées, grinçantes, contre ce vent du Nord qui s'engouffre entre les rambardes du pont de pierres. Là-bas, il y a encore une guitoune de boches, cette fois impassibles. On dirait des statues de granit figées dans la bise. Leurs regards sont vides, parfois vitreux, Marguerite ne discerne aucun sentiment dans leurs yeux. La queue devant la boucherie de la rue du palais de justice est une succession d'ombres frigorifiées, de faces sinistres, qui parfois se tendent sur la pointe des pieds pour apercevoir l'étal qui se vide. Tout à l'heure, l'homme se campera sur le seuil du magasin et grognera, d'un ton rogue : « Y a plus rien, faut revenir demain. » Marguerite s'en moque, elle méprise ces âmes implorantes, avec leurs carnets de tickets d'alimentation à la main, qui grelottent et gémissent à longueur de journée devant les commerces de la ville. Il y a bien longtemps déjà qu'elle ne fait plus qu'un repas par jour avec des conserves de l'été dernier, les haricots au sel, les œufs de plus en plus rares de ses poules.

Parfois son ventre se serre quand elle se souvient de la poignée de repas des beaux dimanches d'août 39. Les tomates charnues avec leur tombée d'oignons blancs, Pierre qui épongeait la vinaigrette dans le fond du plat. Le poulet qu'elle aimait faire à la casserole avec le vin blanc des vignes du coin et les quartiers de patates grésillant dans le jus. Son homme lui découpait une cuisse ferme et charnue qu'elle mordait à pleines dents avec une mine carnassière défiant Pierre. Parfois, ils se levaient d'un bon complice, s'entraînant main dans la main vers la chambre à coucher. La tarte aux mirabelles attendait l'ombre de quatre heures qui venait obscurcir les persiennes. Pierre s'endormait, grand corps apaisé, le drap passé entre les jambes. Marguerite se levait pour faire couler le café, ses pieds nus glissant sur le carrelage de la cuisine, fraîche et parfumée. Quand Pierre venait s'asseoir sur les trois marches du seuil de la cuisine, tout chiffonné par la sieste, elle l'observait comme un enfant gourmand, grignotant la pointe de sa part de tarte. Ils restaient ainsi silencieux dans cette fin d'après-midi immobile et douce.

Marguerite monte la côte du faubourg, debout sur les pédales de sa bicyclette jusqu'au grand portail de l'entrepôt de bois et de charbon. Elle roule sur les grandes bandes d'écorce qui jonchent la cour déserte où la plainte de la bise s'engouffre. Elle aperçoit la silhouette de Grangier qui fume mains dans les poches. Il surveille deux manœuvres en train de charger un camion de sacs de boulets de coke. Son cou épais et rougeaud dépasse de sa canadienne. Il est de dos et se retourne alors que Marguerite vient poser sa bicyclette contre une grosse bille de chêne. Marguerite sent ses mains trembler quand il lui lance un « bonjour » grave et enroué.

« Je voudrais vous acheter du bois pour finir l'hiver, enchaîne, bredouillante, la jeune femme.

— Le bonjour, c'est pas fait pour les chiens », assène Grangier, déjà maître de la situation.

Le silence est interminable. « Du bois ? Du bois ? tonne l'homme avant de partir dans un grand rire sardonique. Mais qu'est-ce que vous avez tous après moi ? Ça défile, ça me supplie, ça m'implore. Pourtant, personne ne venait me voir quand je me cassais les bras et le dos à couper et à débarder à la Crochère ou aux Breuleux ? T'es pas venue me saluer quand tu étais avec ton homme en train de folâtrer dans le muguet, hein ? » Marguerite est immobile, statufiée dans la peur et le vent du Nord.

« Il est où ton homme maintenant ?

— Prisonnier, murmure-t-elle.

— Ah, il a pris pension chez les fridolins, il se chauffe au stalag et toi, tu te gèles le cul, hein ? Viens au bureau, on va causer rondins. »

Marguerite sent une boule de haine gonfler dans sa poitrine, elle voudrait s'enfuir quand Grangier ouvre la porte de la guérite où s'entassent de gros livres de comptes. L'air surchauffé sent le tabac froid et l'eau de vie.

« Ferme la porte, on va attraper la mort, grogne le marchand de bois en lui indiquant une vieille chaise paillée. On va être bien là, décrète-t-il, un mégot accroché à sa lippe libidineuse.

— Je préfère rester debout, souffle la jeune femme en tripotant un bouton de son gros manteau.

— Viens-là, que je te dis, on sera bien », ordonne Grangier en posant sa grosse main de bûcheron sur la poitrine de Marguerite qui recule violemment contre la porte.

Les doigts calleux de l'homme courent sur le ventre de la jeune femme puis accrochent fermement son entre-jambe. Elle veut crier, hurler, mais suffoque quand le marchand de bois crache son mégot et plaque sa bouche contre la sienne. « Viens là, tu seras pas la première, ça doit avoir besoin d'un bon taraudage là-dedans », braille-t-il, en fixant le ventre de Marguerite. Elle cogne de toutes ses forces sur le front de Grangier qui bascule en arrière en heurtant son bureau. La violence de sa chute le laisse sans voix, sonné. Marguerite en profite pour ouvrir la porte et s'enfuir. La boue, la neige et la sciure mélangées ralentissent sa course sous le regard narquois des manœuvres qui viennent de poser leurs sacs de coke. Elle ne croit jamais pouvoir atteindre son vélo. Derrière, Grangier s'est remis sur ses pieds, balaie rageusement ses livres de comptes et s'accroche au chambranle de la porte de la guérite. « Petite salope, va te faire foutre chez les boches, tu vas geler pire qu'au cimetière, hurle le marchand. L'hiver prochain, tu viendras me supplier à genoux pour un stère de bois. »

Marguerite s'accroche à son guidon, appuie de toutes ses forces sur les pédales mais trébuche sur une ornière qui l'envoie valdinguer sur le sol glacé. Des rires gras d'hommes fusent autour d'elle. « Tu mouilles, cocotte ? » lui lance un manœuvre. Elle se relève, crottée. Non, je ne pleurerai pas devant eux, se répète-t-elle jusqu'au goudron de la rue, qu'elle accueille comme une libération. Jamais elle n'a pédalé aussi vite sur le pont de pierres. Rageuse mais aussi fière d'avoir résisté à ce marché infâme d'homme tout-puissant. Tant pis, elle aura froid, elle ira au bois ramasser la plus petite brindille, le moindre branchage pour se chauffer ; elle passera trois chandails, un caleçon et le gros velours de son homme. Mais il ne sera pas dit qu'elle aura couché contre un stère de mauvais foyard, des rondins verts qui auraient enfumé toute sa cuisine.

À peine son vélo posé dans le bûcher vide, elle repart avec la remorque qui sert habituellement à transporter l'herbe coupée dans les friches et sur les accotements. Elle traverse le faubourg en tirant derrière elle sa charrette. Il neigeote entre le ciel gris et bas et les premiers labours qui font une croûte blanchâtre. L'occupation allemande a repeint les paysages à la manière de ces photographies de front de la Première Guerre mondiale que Marguerite avait entrevues dans de vieux illustrés. La vie s'en est allée de cette plaine lunaire que même les corbeaux ont désertée. On les aperçoit parfois comme des statues d'ébène silencieuses accrochées aux branches des peupliers. Marguerite ne se fait guère d'illusions. Elle sait qu'elle ne ramassera pas grand-chose dans les boqueteaux où sont déjà passées des tribus de glaneurs sans chauffage. Elle longe une haie bocagère et découvre une roulotte échouée dans le cul-de-sac d'un chemin creux. Il neige maintenant à pleins flocons, pourtant une poignée de gamins dépenaillés joue à se lancer à mains nues des boules de terre mêlées de neige. Marguerite reconnaît le jeune André qui veille sur ce petit monde, modérant les ardeurs des gosses dans un jargon inconnu. Il s'immobilise à la vue de la jeune femme :

« Madame Marguerite, lance-t-il guilleret avant d'accourir vers elle et de fixer la remorque vide. Vous allez où comme ça ?

— Chercher du bois, dit Marguerite en haussant les épaules.

— Mais il n'y a rien à couper.

— Je sais bien, mais il faut quand même que je trouve de quoi me chauffer. »

Dans leur dos, une voix forte de femme roule des mots gutturaux. Marguerite se retourne sur ce sabir intriguant. Sur l'escabeau de bois adossé à la porte de la roulotte, elle aperçoit une femme qui lisse une longue jupe multicolore. Elle a le teint mat et est coiffée d'un épais chignon noir comme du jais. « C'est ma mère », explique André. Puis il ajoute à son intention. « C'est la dame qui m'a donné à manger quand on est arrivés ici. » La femme promène une méfiance de matrone sur Marguerite puis se déride doucement. « Elle a besoin de bois », dit le gamin à qui sa mère jargonne une courte phrase. « Elle vous dit de la suivre », traduit André. Marguerite, gênée, hésite puis rejoint la roulotte. La femme lui tend une main aux ongles longs et jaunis. « Bonjour Madame », balbutie cette dernière en ouvrant la porte et en l'invitant à pénétrer dans la roulotte. L'intérieur semble minuscule entre des piles de matelas et de couvertures entassés. Un fourneau rond et bas ronfle derrière une minuscule lucarne rougeoyante. Marguerite est invitée à s'asseoir sur un coffre de bois peint sur lequel André a déposé un coussin. Une bouilloire murmure doucement sur le poêle. La mère s'empare d'une théière en tôle, y glisse une poignée de feuilles sèches où Marguerite croit reconnaître du tilleul. En effet, le parfum ne tarde pas à embaumer sous l'effet de l'eau chaude. D'une niche fixée en haut de la roulotte, André sort un bol où sa mère verse le contenu de la théière.

« C'est pour vous, un mélange de plantes que l'on cueille, c'est bon pour tout, surtout l'hiver, précise le gamin alors que sa mère tend le bol à Marguerite.

— Merci, mais je voulais pas déranger », sourit Marguerite en trempant ses lèvres dans le liquide brûlant. André traduit, entouré de ses deux frères et de sa sœur. La marmaille l'observe mi-goguenarde, mi-intriguée, sans un mot. Mais ce silence n'a rien de pesant. Au contraire, elle se sent cajolée par une hospitalité bienveillante qu'elle n'a pas ressentie depuis longtemps. Jusqu'à la dernière goutte d'infusion, Marguerite savoure cette chaleur douce et familiale. Elle hésite à se lever avant de s'adresser à André. « Il faut que je m'en aille chercher du bois. » Le fils interroge du regard sa mère en pointant un petit tas de rondins près du poêle. Marguerite ne comprend pas sa réponse mais elle y perçoit comme une évidence.

« Ma mère dit qu'on va remplir votre charrette, traduit André.

— Non, je ne peux pas accepter, vous avez une famille à chauffer », décrète Marguerite.

La femme a compris et répond avec un large sourire en tortillant son chignon.

« Elle dit que vous n'avez pas le choix. Que c'est comme ça chez nous, explicite André.

— Mais je vais vous payer, proteste doucement Marguerite.

— Ça, je ne vais sûrement pas lui dire car, sinon, elle va se fâcher. Et quand elle se met en colère, c'est pas beau à voir », triomphe André.

La mère s'est rapprochée de Marguerite ; elle prend ses mains dans les siennes et lui adresse des mots soyeux.

« Elle dit que vous êtes douce et bonne comme la sainte Vierge », traduit André.

Marguerite sent le regard noir et brillant de la femme se ficher dans le sien. « Dis à ta maman qu'elle peut venir me voir quand elle veut, surtout si elle a besoin de quelque chose. »

Dehors, la neige a cessé de tomber, les frangins se sont engouffrés sous la roulotte pour en ressortir les bras chargés de bois qu'ils déposent dans la charrette. Marguerite veut modérer leur ardeur, elle redoute le poids du chargement à transporter jusqu'à son bûcher.

« On vous accompagne jusqu'à chez vous », dit André.
Les trois frères tirent à qui mieux mieux le chargement.
Marguerite a du mal à suivre cet attelage joyeux qui la
ramène bien vite chez elle. Les garçons rangent le bois
dans le bûcher. Marguerite songe à leur innocence après
l'abjection de Grangier. Elle va chercher dans le buffet
de la cuisine trois barres de chocolat qu'elle avait gar-
dées pour un colis à Pierre. Les gamins accueillent ce
don comme un trésor.

« On vous apportera encore du bois, promet André
entouré de ses deux frères qui approuvent, les lèvres
maculées de chocolat.

— Il ne faut pas, dit Marguerite.

— Si, ma mère a dit que mon père irait en chercher
pour vous. Aujourd'hui, il travaille chez un paysan. »

Cette nuit-là, Marguerite laisse tiédir sa cuisinière
pour économiser son précieux mais modeste stock de
bois. Vers trois heures du matin, elle est réveillée par un
grattement à la porte. Elle se lève pour l'ouvrir, croyant
que c'est le chat qui veut rentrer. Mais dans l'obscurité,
elle découvre un gros sac ventru de boulets de coke
déposé par une main invisible. Sur le coup, elle pense
à un piège tendu par Grangier pour la faire accuser de
vol. Il en est bien capable. Elle fait le tour de la maison,
il n'y a pas âme qui vive. Alors, elle traîne le lourd sac
dans sa cuisine. Réjouie mais un peu inquiète aussi.

Janvier 42

Marguerite a les mains gourdes quand elle plonge sa serpillière dans l'eau glacée. Il est un peu moins de sept heures du matin et il fait encore grand nuit quand elle commence à récurer le carrelage gris du hall de la poste. Elle a renoncé depuis longtemps à fredonner les refrains de Tino Rossi. Il lui faut d'abord charger le grand fourneau du hall et les autres poêles des bureaux. Au début, elle redoutait ce silence où seuls les planchers grinçaient, puis elle s'y est habituée. Elle s'empresse même de terminer son ouvrage avant l'ouverture pour croiser le moins de monde possible. Seule l'arrivée de Raymonde, vers sept heures et demie, lui apporte un peu de cette complicité bonhomme dont la postière ne semble jamais dépourvue. Le rite est immuable : vers sept heures et quart, Marguerite remplit une bouilloire qu'elle met à chauffer sur le fourneau. Quand Raymonde arrive, elles s'enferment dans son bureau où elle sort d'un placard du vrai café – Dieu sait où elle le trouve, s'étonne toujours Marguerite – qui vite embaume la pièce sous un filet d'eau bouillante. Raymonde se cale alors dans le fond de sa chaise et allume une cigarette. Souvent, les deux femmes ne disent mot. Marguerite réchauffe ses mains rougies sur son bol ; Raymonde fume rêveusement et la fixe de temps à autre.

« Tu as des nouvelles de ton homme ? qu'elle fait d'une voix familière et légère comme si Marguerite et Pierre s'étaient quittés le mois dernier.

— Non, pas depuis sa dernière lettre, répond alors le plus souvent Marguerite.

— Tu sais, les hommes, faut pas compter sur eux pour écrire », répète Raymonde ou « Tu vas bien recevoir quelque chose ces jours-ci. »

Marguerite se tait en astiquant machinalement un coin du bureau. « Qu'est-ce que tu fais, il est propre, ça va pas le faire revenir tout de suite, ton homme », fait alors semblant de la gourmander Raymonde. Marguerite esquisse un début de sourire, finit son café, vérifie le feu dans les poêles et s'en va dans le petit jour laiteux.

Les deux coups de la demie viennent de sonner à l'église. Marguerite n'entend pas encore le ronronnement de la moto de Raymonde. Elle termine de récurer le hall et se dit que la postière a dû venir à pied. Ce matin, il gelait fort avec de grosses plaques de verglas qui faisaient crisser les mauvaises semelles des bottines de Marguerite. Elle va dans la petite cour derrière la poste vider son seau d'eau sale quand un fracas de portes violemment ouvertes retentit dans le hall. Des pas lourds, frénétiques, des pas d'homme. Une poigne vient l'arracher à la cour. Manteaux de cuir noir, chapeaux vissés sur le crâne. « Elle est où ? » lui crie une voix pleine de colère avec un accent allemand, sans autre

116

formalité. Marguerite tremble, tous ses os lui font mal comme si on l'avait battue. Une autre voix lui souffle doucement : « Vous n'êtes pas toute seule ici ? » Elle voudrait répondre mais les mots restent coincés dans sa gorge. « Tu vas parler, dis ? » Cette fois, c'est une voix bien française qu'elle entend.

L'homme se tient dans la lumière de la porte qui sépare le hall de la cour. C'est un policier français, Marguerite l'a déjà vu en ville, attablé à la terrasse du Central, le café près de la mairie. Marguerite n'avait jamais encore vu la collaboration comme ça. Elle savait que des femmes couchaient avec des boches et se pavanaient dans les meilleurs restaurants. On lui avait parlé de ces passeurs qui dépouillaient les juifs au bord de la rivière de la ligne de démarcation avant de les dénoncer aux gendarmes ou à l'occupant. Mais jamais elle n'avait encore vu un Français main dans la main avec les Allemands. Costume et manteau de laine de la meilleur coupe, Marguerite sent son eau de toilette alors qu'il lui fait signe de s'approcher. « Elle est où ? » Silence, Marguerite s'accroche à l'image fulgurante qui lui vient dans ce gouffre : Pierre qui lui sourit, au jardin, en lui tendant une tomate toute chaude du soleil d'août. Une gifle fait trembler cette tendre vision. « Tu vas parler, hein ? » Une autre gifle, terrible, avec la morsure de ce qui doit être une chevalière. « Tu veux qu'on te garde au frais à la cave, c'est ça ? » L'homme joue nerveusement avec sa bague et la pousse dans le bureau de Raymonde. Tout est sens dessus dessous, ils sont trois Allemands à retourner les tiroirs, fouiller les armoires et même sonder le pot de café. Méthodiques, plutôt patients par rapport au policier français l'ayant giflée, qui, lui, trépigne. « Je vais t'attacher, qu'il hurle tout contre les lèvres de Marguerite. Tu vas mouiller, salope, ça pour ça, tu vas mouiller de peur, traînée. » Marguerite s'accroche au visage de Pierre, il ne faut pas qu'il la quitte, elle cherche son grain de beauté à la gauche de son cou, la cicatrice sur le pouce de sa main droite, un reste d'accident à l'usine. Le policier français lui passe des menottes glacées qui lui scient les poignets au fur et à mesure qu'il les resserre. « Et ça, ce n'est que le début », répète-t-il nerveusement. « Attends le commissariat, la raclée que tu vas prendre, tu vas voir. » On dirait un coq, un petit coq sur un tas de fumier, grotesque, minable, rumine Marguerite. « Tu sais comment je m'appelle, moi ? On ne t'a pas dit comment je m'appelais ? T'es nouvelle chez nous ? T'as jamais sorti ton cul de ta cuisine, péquenaude ? Je suis Humblot, l'inspecteur Humblot. Ici, tout le monde se met à table avec moi. »

On traîne Marguerite dehors. Elle tremble dans sa blouse grise sous la pluie verglaçante. Des passants la dévisagent, tétanisés, seul un vieil homme lui lance un bref regard de pitié avant de baisser les yeux. Humblot parle avec les Allemands. D'abord en français – il est question d'emmener Marguerite – puis il enchaîne les mots en allemand comme s'il ne voulait pas qu'elle comprenne. La voiture sent le tabac froid et le cuir des baudriers et des étuis des armes que portent les deux policiers encadrant la jeune femme. Humblot est assis à côté du chauffeur. Il allume une cigarette et souffle sa fumée sur Marguerite. « Tu vas manger froid tant que tu ne causeras pas. Cela dit, si tu ne me parles pas, tu vivras pire avec les boches et leur baignoire pleine de merde. » Marguerite tient ses deux mains menottées contre ses genoux serrés. La ville qui défile lui semble soudain devenue étrangère, hostile. Une pensée saugrenue l'assaille : et si on la déportait en Allemagne dans le stalag de Pierre ? Ils seraient ensemble, unis, Marguerite sourit nerveusement de son délire.

« T'es folle, ma fille, dit Humblot. Ta patronne fait passer la ligne de démarcation aux youpins et toi, tu te marres », grogne Humblot en la scrutant longuement dans le silence qui suit. Marguerite a le souffle coupé. C'est comme un coup de poignard, une douche glacée, quelque chose qui vient de se casser en elle. Elle sent monter une sourde colère contre Raymonde, en même temps qu'une folle inquiétude. Comment a-t-elle pu tout ignorer des activités clandestines de cette femme à qui elle a ouvert toute sa vie, toute son intimité, tout son cœur ? Elle se sent gourde, petite fille, ignorante et stupide dans ce monde en guerre.

La traction décrit un grand virage avant de se garer devant le perron du commissariat. Marguerite s'attend à ce qu'on la conduise dans un cachot obscur et froid. « Vous la mettrez dans le bureau du fond », lance Humblot aux deux policiers qui l'encadrent. Elle sent le feu sur ses joues quand elle pénètre dans une pièce surchauffée avec des barreaux aux fenêtres. Un des agents lui ôte une de ses menottes pour la fixer au radiateur puis referme la porte sans un mot. Marguerite se blottit tout contre la fonte bouillante et ne tarde pas à s'endormir, entre les visages de Pierre et de Raymonde qui hantent ses visions. C'est une main ferme mais sans agressivité qui la réveille. Encore un autre policier, en uniforme, ni hostile, ni bienveillant, inexpressif jusque dans le vide de ses yeux. « Tu peux sortir », lâche-t-il d'une voix métallique. C'est comme une autre claque pour Marguerite qui ne comprend plus rien, elle a le tournis. Dans le couloir, la porte du bureau de l'inspecteur Humblot est fermée. On entend le cliquetis d'une machine à écrire. Marguerite imagine Raymonde, menottée les mains dans le dos face à Humblot lui soufflant la fumée de sa cigarette au visage. « L'inspecteur m'a dit de te dire qu'il ne fallait pas que tu retournes travailler à la poste », dit le policier qui escorte Marguerite jusqu'au seuil du commissariat.

Dehors, il neige, la grosse horloge de l'école voisine indique midi. Marguerite reste un long moment immobile devant le commissariat. Désorientée, hagarde. Elle cherche son chemin dans cette journée incompréhensible. Vite devenir invisible, ne plus voir personne. Elle s'engouffre dans une rue étroite et obscure descendant vers la ville basse. Là-bas, il y a un passage, songe-t-elle, où elle pourra rejoindre le chemin de halage. Une épaisse couche de neige recouvre déjà le sol. Ses pas se font lourds, pesants. Sur une péniche, un gamin la voit venir. Il ramasse une poignée de neige et confectionne une grosse boule que Marguerite reçoit en plein visage alors qu'elle arrive à sa hauteur. Le gel lui brûle la joue, c'est la double peine, le coup de trop. « Sale petit boche, fils de collabo », hurle-t-elle dans une salve incontrôlable. Le père du gosse monte sur le pont, cramoisi de colère. « Répète voir, salope, que je te foute une volée », gronde-t-il en rejoignant le chemin. Marguerite se lance dans une course insensée, trébuche, tombe dans la neige, se relève, court, dérape à nouveau, s'accroche à une branche de noisetier.

Il n'y a pas âme qui vive sur le vieux pont de pierres. Marguerite regarde les tourbillons gris et tumultueux de l'eau. Basculer par-dessus le parapet, une brève chute, puis s'enfoncer dans le liquide glacé. Elle ne sait pas nager, elle se dit qu'on doit mourir vite à cette saison. À cet instant, elle se souvient de sa cousine noyée. Elles devaient avoir cinq ans, elles jouaient ensemble à la dînette au bord d'une mare. C'était l'été, il faisait très chaud. Marguerite avait voulu aller chercher des fraises des bois à l'orée de la forêt. Quand elle est revenue avec le vieux quart de son père rempli de petits fruits, sa cousine avait disparu. Marguerite a cru qu'elle était rentrée chez elle. Mais au village, personne ne l'avait vue. Les parents ont interrogé Marguerite, sa mère l'a secouée comme si elle détenait un secret. On a retrouvé sa cousine au crépuscule, ses longs cheveux blonds flottaient dans la vase, elle s'était noyée dans un demi-mètre d'eau. Marguerite la survivante a découvert le reproche dans le regard des adultes, sa mère l'a cloîtrée durant tout le reste des vacances de son enfance. Elle ne devait plus jouer avec les autres.

Marguerite s'agrippe à la pierre rugueuse et givrée du parapet, fixant comme un automate la rivière. C'est sûr, la morsure du froid la tuera instantanément, elle ne souffrira pas. « Mademoiselle, ça ne va pas ? » Elle sursaute, se retourne, apeurée. L'homme est grand, très sombre. Il tient d'une main le guidon de son vélo et dans le creux de l'autre une cigarette. « Il ne faut pas rester là, mademoiselle, vous allez attraper la mort. » Marguerite le fixe puis renvoie : « Madame, pas mademoiselle. » L'homme sourit : « Alors madame. Il est prisonnier, hein ? » Il y a longtemps qu'elle n'a pas ressenti une telle bienveillance mais ce qu'elle vient de vivre la rend hargneuse. « Vous, au moins, vous êtes ici. » L'homme remonte doucement sur sa bicyclette, tire une dernière fois sur son mégot, le jetant d'un geste bref sur la chaussée : « Je ne vous souhaite pas qu'il rentre pour la même raison que moi. Ma femme est morte pendant que j'étais au stalag. Ils m'ont libéré pour que je puisse élever mes gosses », souffle-t-il en donnant un grand coup de pédale qui fait crisser la neige. Marguerite n'a pas reconnu le père des petits qui passent chaque matin devant chez elle.

Elle fixe encore une fois les eaux noires tourbillonnant autour d'une grosse souche bloquée contre une pile du pont. Soudain Pierre lui sourit, il est de profil, assis sur le seuil de leur maison, sa blague à tabac sur les genoux, en train de rouler une cigarette. Alors elle se remet en marche, s'agrippe à ses lèvres joyeuses, à son regard rieur, à ses mains chaudes, à sa poitrine large et douce. Le faubourg défile comme un mur sale et monotone. Dans la cour, la neige a été foulée par une multitude de pas. Des échardes de bois sont éparpillées sur le seuil de la maison de Marguerite. Elle découvre la porte fracturée et entrouverte. Un pas de souris accoure dans son dos. « Ils sont venus, ils étaient trois, des boches et il y avait sûrement un Français aussi », vocifère Germaine. La vieille femme a repris son poste de vigie derrière sa fenêtre depuis qu'elle ne supportait plus de vivre chez ses cousins. Elle hausse les épaules : « J'ai rien pu faire, ils m'ont dit de ne pas me mêler de tout ça. » Marguerite l'écoute à peine, poussant la porte qui bute sur le dossier d'une chaise renversée. L'appartement est à sac. Il y a de la farine sur le carrelage, le pot est cassé. Même la caisse à bois a été vidée, les rondins ont roulé un peu partout dans la pièce. Un ouragan a dû passer dans sa chambre, tout le linge a été jeté hors de l'armoire, le matelas retourné a écrasé l'abat-jour de la lampe de chevet. Marguerite ramasse une photo de Pierre sur le parquet.

« Mais qu'est-ce que tu as fait ma petite ? gémit Germaine dans son dos.

— Rien, taisez-vous, rentrez chez vous, murmure froidement Marguerite.

— Tu ne veux pas que je t'aide ? tente la vieille femme.

— Rentrez chez vous », gronde Marguerite.

Février 42

C'est un grattement sur le bois des persiennes qui réveille Marguerite. Elle se dit que c'est encore le chat qui doit vouloir rentrer. Elle se lève, ouvre la porte, une main lui happe la nuque, une autre se plaque sur sa bouche. Elle ne peut pas crier mais sent l'odeur du tabac sur des doigts, ça doit être des doigts d'homme tellement ils sont rugueux. « Ne dis rien, si tu veux avoir des nouvelles de Raymonde », lui ordonne une voix jeune. Son cœur bat à tout rompre. Prestement, une silhouette passe de l'obscurité à la lumière alors qu'une main muselle toujours sa bouche. Quelqu'un referme la porte tandis qu'on la tire vers sa chambre. Marguerite découvre un grand gosse blond avec des yeux bleus globuleux et des taches de rousseur. Il respire l'air de la campagne et les travaux des champs. « C'est Raymonde qui nous a dit de venir, chuchote-t-il. On va t'emmener auprès d'elle. Tu t'habilles et tu ne poses pas de questions. »

Il y a deux autres hommes dehors. Marguerite ne verra que leurs ombres car le gosse blond lui bande les yeux avec une grosse écharpe de laine et l'entraîne à l'arrière d'une fourgonnette où il s'assoit à ses côtés. Elle n'a pas peur, juste l'impression d'être emportée dans un voyage qui la dépasse. Le trajet dure un siècle. D'abord sur le bitume, avec beaucoup de virages, puis sur des chemins plus chaotiques. Marguerite devine des ornières, des branches frôlant la carrosserie, jusqu'au brusque arrêt du moteur. On la tire dehors, le froid est humide. Odeurs d'humus et de feuilles mortes. Une main rêche la guide fermement à une porte qui grince puis se referme. Une pièce, puis une autre jusqu'à ce qu'on lui débande les yeux. La lumière est douce, celle d'une lampe à pétrole et là, devant elle, une forme est étendue sur un pauvre matelas de bourres d'épis de maïs et recouverte d'un amas de couvertures. Marguerite aperçoit dans le clair-obscur un regard qui cherche le sien. D'abord vitreux, puis qui s'illumine doucement.

« Te voilà, ma petiote », murmure Raymonde. Ses mains émergent des couvertures, appellent celles de Marguerite qui se penche tout contre elle. Elle sent le souffle court et fiévreux de son amie. La forte femme est devenue une bête malade, recluse au fond des bois. « Assieds-toi près de moi », dit-elle. Marguerite se pose sur une couverture humide, il fait un froid de chien dans la pièce, elle frissonne. « On ne peut pas faire de feu, tu sais, sinon on risque de nous repérer. » Un des escorteurs de Marguerite s'approche de la couche : « Raymonde, une demi-heure, pas plus. Faut qu'on la ramène avant le jour. » Raymonde acquiesce doucement et fixe Marguerite : « Ils ne t'ont pas fait de mal au moins ? » Marguerite fait non de la tête, elle veut parler mais la postière lui serre fortement la main. « Doucement, je suis là, sourit-elle. Laisse-moi causer mais il faut que tu saches que, aujourd'hui, je vais t'en dire le moins possible. Tu sauras juste ce qu'eux savaient quand ils sont venus t'arrêter à la poste. »

Raymonde inspire longuement et douloureusement. « Dès qu'ils sont arrivés, je savais que je ne les supporterais pas une minute, même une seconde. Eux, les boches, soupire-t-elle, ça remonte à loin depuis qu'ils ont usé mon vieux en 14. Alors quand ils ont barré la France en deux, j'ai décidé de sauver ceux qui étaient du mauvais côté. Les juifs, les communistes et toute la racaille que j'aime parce que Hitler veut leur peau. » Raymonde tente de s'asseoir sur sa couche : « Mets-moi le traversin dans le dos. » Marguerite ajuste au mieux le polochon crasseux. « Ces cons de boches n'ont pas compris que leur ligne de démarcation était une passoire ici. Pense donc, une rivière comme la nôtre, capricieuse, imprévisible, ça ne peut pas être une barrière. » Raymonde sourit dans le vague : « Cette forêt, cette rivière, j'en connais les moindres recoins. Je suis née ici, j'ai grandi ici, j'ai connu mon premier homme ici. » Silence. « Tu sais, ça n'a pas été compliqué pour moi de m'y mettre. Déjà gamine, je savais passer à gué, je connaissais les endroits les moins profonds entre les deux rives. Je ne veux pas entrer dans les détails, ce serait pas bon pour toi avec ce qui vient d'arriver. »

Marguerite veut parler mais Raymonde lui tend un doigt réprobateur : « J'ai dit non. Parce qu'ils deviennent malins, les boches. Ils ont compris qu'on les roulait dans la farine avec leur ligne de démarcation. Alors depuis quelque temps, ils ont remplacé leurs troufions par des gardes-frontières. Ce sont des futés, ceux-là, ils ont du métier. Alors l'autre nuit qu'on traversait, on s'est fait surprendre. Moi, je dirais dénoncer. La rivière était haute, en furie. On était en barque. Pour leur échapper, on a dérivé dans les rapides, une passe mauvaise. Et c'est là qu'on a chaviré en heurtant une souche ou un tronc, je sais plus, on était dans le noir. Dans notre malheur, on a atteint l'autre rive en s'agrippant à cet arbre mais... » Raymonde s'interrompt brusquement, ses yeux s'embuent, elle avale sa salive et déglutit comme si quelque chose faisait obstacle dans sa gorge. Puis elle relève le menton, dans un signe de volonté, de fermeté. « Va demander au gars une cigarette, j'ai envie de fumer. »

Dans la pièce d'à côté, les trois hommes montrent des signes d'impatience. « Faut y aller, dis-lui au revoir. » Marguerite revient avec la cigarette et précipite la question qui lui brûle les lèvres : « Mais ils vous ont blessés ? » Raymonde aspire une longue bouffée et fronce les sourcils : « Non, non, c'est juste un gros coup de froid et de fatigue. Toutes ces histoires, tu sais. »

« On y va maintenant », vient dire le grand gamin blond. « Viens m'embrasser », ordonne Raymonde. Marguerite se rapproche, elle sent la joue glacée de la postière qui se rapproche de son oreille : « Je sais que tu diras rien, hein ? Je ne sais pas quand on va se revoir, je vais disparaître. Mais tu sais, il y aura une fin à cette guerre. » Marguerite peine à retenir ses larmes. Raymonde fait « Non, non », en tournant doucement sa tête avant de l'embrasser. « Pars, ma petiote, et prends soin de toi. »

Sur le pas de la porte, un des escorteurs a déjà l'écharpe en main pour bander les yeux de Marguerite qui tente de lui échapper. Mais le blond lui barre la route. « Laisse-toi faire, Raymonde t'a dit, moins tu en sais, mieux c'est pour toi. »

Dans la fourgonnette brinquebalant sur les sommières, Marguerite se dit que quelque chose lui a échappé dans les propos de Raymonde. Elle a senti comme un chagrin retenu, un événement qui n'avait rien à voir avec la guerre. Elle a reconnu la dureté de sa patronne mais aussi une fragilité nouvelle. Elle attend le bitume de la route pour se lancer : « C'est sûr qu'elle n'est pas blessée ? » tente-t-elle à l'aveuglette face au blond qui lui tient compagnie. Il y a comme une hésitation dans la respiration du grand gamin, une gêne que Marguerite perçoit dans sa façon de se frotter les mains.

« C'est grave ? poursuit-elle.

— Elle était enceinte, bredouille le blond. Elle a fait une fausse couche quand elle est arrivée où tu l'as vue. Maintenant, ça va mieux. »

Marguerite écoute le ronronnement du moteur, sonnée. Raymonde la postière, Raymonde la résistante, Raymonde enceinte. Les mots se télescopent dans sa tête, elle ne comprend rien à ses vies gigognes dont elle ignorait tout. Marguerite se sent dépassée par ce tourbillon de secrets face au vide qu'elle ressent dans son existence. L'odeur fétide de sueur qui imprègne l'écharpe lui bandant les yeux lui fait mal à la tête.

Les derniers kilomètres sont interminables jusqu'à ce que la portière de la fourgonnette s'ouvre sur la nuit noire. Deux hommes la pressent jusqu'à sa porte où le blond lui arrache l'écharpe sans ménagement. « Maintenant, c'est fini, tu n'as rien vu, rien entendu, on t'a à l'œil, on sait tout ce que tu fais, de ce que tu dis. Recouche-toi, oublie tout de cette nuit et tu ne sais plus qui est Raymonde. »

La cuisine est glacée, Marguerite a le goût de la cendre froide du fourneau dans la bouche. Dans l'obscurité, elle rejoint sa chambre où elle s'engouffre sous les couvertures. Sa tête bourdonne, ses oreilles sifflent tandis que les images défilent. Cette camionnette rugissant dans les ornières, le torchis des murs cernant Raymonde, une maison forestière ou un abri de chasseur ; la lueur fragile de la lampe à pétrole et surtout Raymonde recroquevillée comme une bête malade dans ce lit, ses yeux troubles, son souffle angoissé. Raymonde qui fait l'amour, qui brûle pour un homme dans ces jours où l'on redoute les lendemains, dans ces aubes grises où le plaisir est absent et, quand bien même surgirait-il, serait tabou pour Marguerite.

Elle touche son pubis froid, effleure ses lèvres sèches comme un champ en jachère depuis le départ de Pierre. Le désir est parti avec lui. Même quand il surgit dans ses rêves, dans ses pensées éveillées, elle refuse désormais que leurs corps s'unissent, elle coupe son souffle qui s'accélère. Elle, qui ne l'a jamais repoussé, refuse désormais de s'imaginer faisant l'amour ou de s'offrir un plaisir solitaire à l'évocation du corps de Pierre, de sa bouche, de son sexe. C'est sa guerre à elle, Marguerite, se tenir à distance de la tentation du désir et des illusions des songes qui pourraient raviver ce tison qui, parfois, malgré son obstination, luit dans son ventre et qu'elle éteint au plus vite. Elle veut rester un fleuve gelé, un arbre dénudé, une campagne désolée jusqu'au retour de Pierre. Elle les imagine ainsi tous les deux, amants hibernant pour mieux célébrer leurs retrouvailles. Leurs doigts glacés se réchauffant sur une table du buffet de la gare où ils s'assiéraient après l'arrivée du train. Ce serait un de ces jours de printemps incertain où la bise souffle sur la terre croûtée, où les premières primevères jaunes peinent à s'ouvrir, où les bourgeons dodus s'apprêtent à éclater. Il aurait son vieux manteau de soldat, un maigre sac à dos et des brodequins fatigués. Elle lui demanderait « Qu'est-ce que tu veux manger ? » alors qu'il lui prendrait la taille sur l'avenue conduisant au marché. Elle voudrait ainsi le retrouver doucement dans les petits gestes anodins du quotidien.

20 avril 42

Marguerite bêche son jardin et celui de Germaine depuis l'angélus du matin. Elle est en nage, son dos est douloureux sous sa grosse chemise de coton. Jamais, avant la guerre, elle n'avait retourné la terre pour les semis du printemps. « Tu fais des mottes trop grosses, tu te casses les reins, dit Germaine assise sur le banc bordant la parcelle. C'est normal que tu aies mal, regarde ce que tu portes sur ton fer de bêche », ajoute la vieille femme en désignant une motte de terre noire et grasse. « Ça, c'était bon pour ton Pierre. » Marguerite n'aime pas la façon dont Germaine s'insinue dans son ménage. Même si elle n'a pas revu Pierre depuis deux ans, elle ne peut pas lui avouer que lorsqu'elle est en train de bêcher, elle cause aussi à son homme, en silence. Elle lui dit qu'il aurait dû commander au forgeron de l'usine un fer de bêche plus petit pour elle, qu'il aurait dû lui apprendre à faire un sillon bien droit, lui qui faisait de si beaux andains avec sa faux quand elle allait le voir faire les foins chez des paysans. Elle lui dit que les femmes sont faites pour regarder les hommes bêcher, fumer, bander et s'endormir sans un mot après l'amour. Elle lui dit que les hommes, pas plus que les femmes, ne sont faits pour la guerre. Qu'il n'y a que les puissants qui peuvent imaginer pareille vacherie pour les séparer. Elle lui dit que les femmes ne sont pas heureuses de remplacer les hommes dans les ateliers et les bureaux. Elle lui dit que les femmes ne sont pas faites pour dormir seules, loin de leurs maris, qu'elles détestent le lit glacé du petit matin, le bol de café unique qui se perd au milieu de la table, l'assiette que l'on délaisse pour manger à même la casserole, les yeux perdus dans le vague à la fenêtre de la cuisine. Elle lui dit qu'au sortir de l'hiver, le premier œuf de leur première poule pondeuse sera toujours pour lui, comme il sera un jour pour le plus jeune de leurs enfants. Elle lui dit qu'elle a gardé un morceau de savonnette Cadum, la dernière, pour le jour où il reviendra du stalag. Qu'elle lui réserve les dernières gouttes de Soir de Paris pour le jour où il plongera dans ses cheveux et son cou. Qu'elle n'a pas regardé un seul homme depuis septembre 1939. Elle lui dit que parfois, le matin dans son lit, elle croit entendre sa voix tranquille et grave qui lui dit « Tu viens déjeuner ? » alors que le silence de la maison est épais comme les mottes de terre qu'elle est en train de retourner.

« Tu t'épuises », répète Germaine. La vieille l'énerve à rabâcher toujours la même chose mais elle ne lui en veut jamais longtemps car elle sait bien qu'elle aussi, dans la solitude de sa maisonnette, elle cause à ses morts. Un jour que la fenêtre de la cuisine de Germaine était ouverte, Marguerite l'a surprise en train de marmonner devant son buffet. Elle s'est rapprochée à pas feutrés et a découvert la vieille femme penchée sur une photographie trônant sur le meuble. Germaine parlait à un grand gaillard moustachu posant au milieu d'une tranchée, une cigarette à la main gauche. « Mon Célestin, si tu étais là, je te ferais une poêle de pommes de terre que tu aimais tant », murmurait-elle. Puis elle avait baisé pieusement la photo. Marguerite avait reculé doucement, un peu honteuse d'avoir surpris cette scène. Rentrée chez elle, elle avait songé aux photos de Pierre rangées dans le tiroir de sa table de nuit et qu'elle regardait chaque soir avant de s'endormir. Une méchante pensée avait envahi Marguerite. Qu'un jour, à son tour, elle chérirait ces images de Pierre comme des reliques d'une vie passée. Elle avait tremblé en pensant à son homme, perdu quelque part en terre allemande, comme Célestin reposant dans la glaise de la Marne.

L'Angélus de midi vient de sonner, Marguerite est seule au milieu du potager. Une bonne odeur de pommes de terre rissolées se répand dans l'air frais depuis la cuisine de Germaine. Marguerite la voit venir avec un panier à salade rempli de mâche. « Viens manger pendant que c'est chaud, lance la vieille femme. T'as bien le temps de finir cet après-midi. Tu as travaillé comme un homme. » Marguerite sourit du compliment. C'est vrai que depuis le début de la guerre, elle a dû apprendre les gestes de son homme : bêcher, scier et fendre du bois, clouer une planche branlante du poulailler. Elle n'en tire aucune gloire, elle sait que les femmes dans la guerre sont toujours regardées comme des êtres vulnérables, des proies faciles, même si elles remplacent les hommes. Elle frémit au souvenir de ce salaud de

Grangier qui voulait la posséder pour un stère de bois. Parfois, quand elle fend un rondin de foyard, elle sent sa rage monter contre le bûcheron, elle voudrait que son merlin lui déchire le bas-ventre. Elle l'imagine se tordant de douleur, la suppliant d'arrêter, un sang poisseux imprégnant son pantalon de gros velours qui descend sur ses cuisses velues.

« Vas-tu venir, mon dîner va s'attraper », insiste Germaine. Marguerite enfonce un grand coup sa bêche dans le sol et va ôter ses sabots sur le seuil de la cuisine où une grosse bouffée de chaleur l'envahit. Germaine a dressé une belle table, comme pour un dimanche de paix. Des assiettes en faïence de Sarreguemines, des couverts en argent, des verres en cristal où elle a joliment plié deux serviettes blanches. « Ça date de mon mariage, sourit-elle malicieusement. Oh, j'étais une drôle de mariée. Je l'attendais déjà, lui. » Germaine se retourne en pointant la photo de Célestin sur le buffet. « Mes parents avaient bien fait un peu la grimace. Mais on s'aimait tant avec son père. » Elle tend à Marguerite les deux manches en corne des couverts à salade plantés dans la mâche. « Sers-toi et prends les cerneaux de noix que j'ai mis au milieu », ordonne-t-elle avant de se lever subitement pour ouvrir la porte basse de son buffet. « J'allais oublier, souffle Germaine. C'est qu'on va boire un peu de vin. » Elle brandit une bouteille de hautes côtes de Beaune 1936 qu'elle dépose sur la table. « Je l'avais gardé pour mon enterrement, sourit-elle. Mais maintenant que tu viens manger chez moi pour la première fois, on va fêter ça. Tu veux bien l'ouvrir ? » Marguerite fronce les sourcils.

« Mais je n'ai jamais fait ça », dit-elle alors que Germaine lui tend un tire-bouchon cep de vigne.

— Il faut un début à tout jeune fille. »

Marguerite se lève, coince la bouteille entre ses cuisses et enfonce doucement la mèche en forme de queue de cochon dans le liège. Puis elle tire très fort sur le manche, le bouchon lâche brusquement, libérant une giclée de vin qui se répand sur son tablier. Après un bref instant de surprise, les deux femmes partent dans un grand éclat de rire. Marguerite se rassoit et remplit les deux verres à ras bord. Le vin est bon, quoiqu'un peu trop chaud. Après la salade, Germaine a préparé un vrai luxe, une langue de bœuf sauce piquante qu'elle découpe religieusement en tranches. Marguerite l'observe, attendrie par ses attentions qui ont dû lui coûter beaucoup de sacrifices en ces temps de rutabagas et topinambours. La vieille femme picore ses carrés de pommes de terre en les trempant dans la sauce piquante. À son silence, ses petites bouchées d'automate, on devine ses habitudes de longues années de solitude, sa résignation devant son assiette. Encore une fois, Marguerite frissonne en songeant que ce sera peut-être un jour son destin à elle.

En dessert, Germaine a sorti un bocal de mirabelles au sirop, il y a aussi un peu de vrai café. Marguerite veut débarrasser la table et faire la vaisselle ; Germaine refuse : « Tu as assez de travail comme ça. » Les deux femmes se chamaillent pour empoigner un torchon. On voit leurs deux frêles silhouettes s'animer dans le rai blanc d'un pâle soleil de printemps.

Dehors, le vin monte aux joues de Marguerite. Elle ôte le gros chandail de Pierre qu'elle venait de remettre au sortir de la cuisine. « Tu vas attraper la mort », lui crie Germaine. Marguerite se remet à l'ouvrage en poussant un grand han. Elle veut finir de bêcher avant la nuit. Demain, elle fera des sillons pour planter les pommes de terre que Perrin leur a rapportées du Jardin du cheminot. Marguerite s'est habituée à ses visites imprévues, à son humeur maussade quand il vient lui donner un fond de sac de charbon dérobé sur un tender de locomotive. Perrin est économe de ses mots. Il reste toujours debout sur le seuil de la maison, ne veut jamais rien boire. « J'ai un train », répète-t-il invariablement avant de grogner : « Des nouvelles ? » Marguerite lui répond avec la même parcimonie que les lettres en provenance du stalag. Il l'écoute, songeur, secouant parfois la tête, avant de lâcher : « Un jour, le vent va tourner. Ils reviendront. » Dans ce « ils », il a beaucoup de pudeur. Le cheminot ne prononce jamais le mot « prisonnier ». Puis il s'en va en remontant le col de sa vareuse.

21 avril 42

Marguerite se lève d'un bond. Elle ne s'est pas réveillée. Son dos cassé par le bêchage lui fait mal. Vite se lever alors que dehors il fait grand jour et que la pendule indique neuf heures dix. Elle s'asperge d'eau froide au-dessus de l'évier et renonce à son ersatz de café du matin. Dehors tout est calme, le jardin retourné luit aux premiers rayons du soleil. Marguerite frappe à la porte de Germaine. Sans réponse. Elle tente d'apercevoir l'intérieur à travers la vitre et les rideaux de dentelle. Rien ne bouge. Elle recule un peu, il n'y a pas de fumée au sortir de la cheminée. C'est ce qui l'intrigue le plus, car même si elle était partie au marché, Germaine aurait fait du feu dans son fourneau. Marguerite se met à cogner de plus en plus fort contre la vitre, tout en actionnant la poignée de la serrure fermée. N'y tenant plus, elle va au bûcher chercher sa serpette et brise la vitre pour tourner de l'intérieur la clé de la serrure. La cuisine est impeccablement rangée. Du repas de la veille, il reste la bouteille de vin posée sur le buffet à côté de la photographie de Célestin. Marguerite pousse doucement la porte de la chambre, la seule autre pièce de la maisonnette. Il fait noir, elle avance à tâtons jusqu'au lit occupant une grande partie de l'espace, et remonte jusqu'à une main fripée et glacée. Marguerite vient d'empoigner la mort. Un bref instant, elle songe à crier « Germaine » mais l'émotion sèche sa gorge.

Elle se retourne, ouvre la fenêtre et fait claquer les volets contre le mur. Un joli jour orangé pénètre dans la pièce et se pose sur le visage éteint de Germaine, les yeux fermés, les deux mains sagement posées sur le drap. Il n'y a que le tic-tac du réveil pour rappeler la vie. Marguerite ne pleure pas. Elle s'assoit sur le bord du lit et contemple cette vieille femme que la mort a fardée de gris au plus profond de ses rides. Hier encore, le vin rosissait ses pommettes, une vie minuscule habitait ce petit corps de femme réfugiée dans ses souvenirs. Marguerite se sent désemparée, inutile. Elle se lève, va à la cuisine, s'empare du portrait de Célestin qu'elle dépose sur l'oreiller, tout contre Germaine.

Dehors le printemps crâne tandis que le voisinage défile au chevet de la défunte. On veut comprendre, on demande à Marguerite qui aligne mécaniquement ses plants de pommes de terre dans les sillons. On dirait un automate. Elle répond par bribes, elle intrigue les visiteurs. On lui répète que Germaine « n'avait plus de famille » ; « qu'elle était seule au monde ». Comme pour lui faire comprendre que c'est désormais à elle de s'occuper de la défunte. Marguerite le sait, l'a su dès l'instant où elle a touché cette main froide comme le marbre de l'évier. Alors au crépuscule quand le défilé des pleureuses et des curieux a cessé, elle s'enferme dans la maison de sa voisine, rafistole la vitre avec un bout de carton et charge le fourneau pour allumer un grand feu qui crépite insolemment. Elle se sert un grand verre de vin, allume la lumière dans la chambre où une main bigote a entrelacé un chapelet de nacre entre les doigts de Germaine.

Marguerite ouvre en grand l'armoire face au lit. Les piles de linge sentent la lavande. Elle fouille parmi les habits de la vieille dame. Tout y est gris, sombre, couleur de deuil, d'un autre temps. Jusqu'à ce qu'elle déniche une tache de couleur incongrue dans ce décorum. Une robe à fleurs affublée d'un col blanc. Marguerite se retourne sur la morte, plaque la robe sur lit, à côté de Germaine et de Célestin, et songe aux mots d'hier. « On s'aimait tant avec son père. » Elle veut que Germaine soit enterrée avec cette robe et la photo de son fils. Elle n'a jamais préparé un mort avant la mise en bière. C'est le travail des hommes quand ils ne sont pas à la guerre. Qu'importe. Marguerite fait chauffer un grand baquet d'eau sur le fourneau et s'en va chez elle chercher son morceau de savon Cadum et son petit flacon de Soir de Paris. Elle veut que Germaine sente bon pour aller en terre. Un autre verre de vin et la voilà qui ôte l'édredon, la couverture et le drap de lit. La morte lui apparaît comme un vieux parchemin enroulé dans une pauvre chemise de nuit. Raide comme une bûche de chêne quand il s'agit de la déshabiller. Une boule de chagrin lui monte dans la gorge quand elle contemple ce corps nu, veiné de bleu où le pubis est gris comme une touffe de lichen sur un vieux pommier. Marguerite songe à ce ventre fripé qui fut jeune, habité par le désir,

et qui donna la vie un peu avant l'aube du siècle. Doucement, elle lave la vieille femme, l'eau chaude et le savon
adoucissent sa peau morte. Elle sourit en se rappelant
d'autres mots de la veille quand Germaine, grisée par le
vin, lui avait raconté qu'on lui avait refusé sa couronne
de fleurs d'oranger de mariée car elle était enceinte.

Marguerite fait chauffer deux fers à repasser sur le
fourneau pour que la robe soit impeccable. Un chat
miaule derrière la porte de la cuisine, elle lui ouvre, la
bestiole se précipite dans la chambre et se couche sur le
lit en ronronnant. La robe est encore chaude du repas-
sage quand Marguerite habille Germaine qui semble
flotter parmi les petites fleurs du tissu. Puis elle peigne
ses cheveux, les faisant onduler en arrière. Dans son cou,
elle dépose quelques gouttes de Soir de Paris. Le chat
l'observe, yeux mi-clos, en allongeant ses pattes avant
jusqu'aux pieds de la défunte. Marguerite ajuste encore
une fois les plis de la robe à fleurs, ferme les portes de
l'armoire et éteint la lumière.

Au matin, c'est un drôle de bruit de charrette sur
le gravier qui prévient Marguerite de l'arrivée des
croque-morts. Ils poussent devant eux un corbillard
à bras. Les chevaux aussi sont à la guerre. La mise en
bière est brève, silencieuse jusqu'à ce que les hommes
vissent le couvercle du cercueil. La cloche ne tarde pas
à sonner dans le bourg. Ils sont une poignée à suivre
ce corbillard qui semble plus léger qu'une charretée de
paille. On veut pousser Marguerite en tête du cortège.
Elle refuse, ralentit le pas pour se retrouver en queue, à
distance. On pense qu'elle est décidément étrange, cette
fille qui vit seule, ne parle à personne et que la Gestapo

et la police française ont emmené un jour de janvier. Des têtes se retournent pour voir si elle suit toujours alors qu'une grosse giboulée crève sur le chemin.

Dans l'église, Marguerite s'assoit tout au fond, à l'écart des autres. Un froid humide monte des dalles luisantes. Le curé est enroué comme un gros fumeur. Il déroule une litanie où Marguerite n'arrive pas à croire ces mots sinistres que sont « une vie de labeur », « un fils tué à la guerre », un « veuvage précoce ». On se mouche, on tousse, on renifle dans cet ennui qui glisse sur le cercueil de Germaine. Quand l'assistance va bénir la défunte, Marguerite reste à sa place. Même le curé la regarde de travers.

Dehors, un soleil arrogant vient de sécher le ciel. Les croque-morts retiennent maladroitement le corbillard dans la ruelle boueuse et glissante conduisant au cimetière. Marguerite se penche contre un mur où des primevères fleurissent jaune. Elle en fait un petit bouquet dont elle lie la queue avec des brins d'herbe. Quand tous les autres sont passés devant la tombe, elle jette ses fleurs sur le cercueil puis s'en va sans un regard, sans un mot pour ceux qui restent agglutinés près du tas de terre que les croque-morts pellettent dans la fosse. Elle sent les premières gouttes d'une nouvelle ondée glisser dans son cou. Tête nue, Marguerite marche dans la rue sans prêter attention à l'auto qui vient de la klaxonner. Elle sent cette liberté qui lui gonfle les poumons et la réjouit quand elle se rappelle à elle. Non, elle n'aura pas la vie résignée et diaphane de Germaine. Elle ne sera jamais cette petite silhouette frêle que la bise semblait soulever quand elle traversait le pont au retour du marché. Elle ne guettera jamais le vide derrière son rideau de cuisine en espérant le retour du fantôme figé dans le sépia sur son buffet.

Un matin de cet hiver, Marguerite s'était réveillée avec un drôle de sentiment, mélange d'amertume, de résignation mais aussi de soulagement. Soudain, elle n'avait plus été dans l'attente quotidienne, permanente de Pierre. C'était une délivrance physique, un creux s'était rempli en elle. Non pas que le manque ne fût plus là mais il n'était plus ce vide froid et triste qui lui vrillait les tripes. Subitement, son corps n'avait plus été douloureux. Depuis septembre 39, elle avait souvent eu l'impression d'avoir ses règles en permanence tant son ventre, ses reins lui faisaient mal. Pourtant, elle ne saignait pas. Elle plaquait alors une brique chaude enveloppée dans des linges sur sa chemise de coton, allongée dans le noir. Combien de nuit avait-elle passé ainsi accrochée à cette chaleur, d'abord quasi insupportable, puis qui allait déclinant ? Elle s'imaginait collée aux reins tièdes de son homme jusqu'à ce que la brique froide lui rappelle cruellement son absence. La douleur revenait alors lancinante, obsédante comme une rage de dents.

Aujourd'hui, les chandails de Pierre n'ont plus la même odeur quand elle les hume. Ils sentent le passé et la lavande fanée du petit bouquet bleu coincé entre les piles de draps. Même son couteau qu'elle utilisait dans toutes les tâches de la cuisine a perdu son fil. Il n'a plus cette assurance tranchante qui lui rappelait la force tranquille de son homme. L'attente s'est muée en un espoir immobile. Leur chez-soi douillet est devenu un chez-elle solitaire et silencieux. À table, Marguerite a enlevé la chaise de Pierre qui lui faisait face pour l'adosser au mur de la cuisine où le chat vient désormais se lover sur un coussin. L'homme qui sourit sur la photo avec ses camarades de chambrée à l'automne 39 lui semble très loin ; presque devenu étranger quand elle le scrute sur un cliché du stalag qu'elle a reçu cet hiver. Il pose avec un petit terrier entre ses genoux. Visage émacié, sourire forcé et las, il paraît flotter dans une chemise et un pantalon trop grands. Elle n'arrive plus à se raccrocher à la poignée de mots qu'il écrit sous la vigilance de la censure allemande. Ce n'est plus son Pierre. Marguerite ne sait pas si c'est cela le désamour. Elle n'a aimé qu'une fois.

Août 42

Marguerite s'est levée de très bonne heure. Un peu avant le jour, elle ouvre la porte de la cuisine et hume la rosée du matin en buvant son bol d'ersatz de café dans lequel elle trempe un quignon de pain dur. Là-bas, au bout de la cour, le soleil embrase l'est de rouge-orangé. Par-delà les forêts, les plaines, les fleuves et les rivières, il y a l'Allemagne. Elle imagine Pierre au temps de la moisson, nouant les gerbes de blé dans une ferme allemande. Elle voit ses bras couleur de pain doré embrassant les épis de blé sous le regard d'une femme blonde et de vieillards. Les hommes sont à la guerre sur le front russe où leurs cadavres font des momies desséchées sous le soleil des steppes. Si ce n'était la violence de la guerre et de l'Occupation, elle supporterait peut-être cette soumission généralisée où la voix lasse et chevrotante du maréchal Pétain incarne le destin de millions de Français. Les privations ne lui coûtent pas, elle s'est habituée à sa vie frugale et solitaire.

Marguerite se dépêche d'aller cueillir quelques haricots, nourrit poules et lapins avec l'herbe du jardin en friche de Germaine. Elle embauche à sept heures à l'usine près de la rivière. C'est un grand hangar de briques et de fer avec de larges fenêtres, mais Marguerite voit très peu le jour dans le recoin sombre et poussiéreux de l'atelier où elle travaille. Elle est postée sur une machine-outil d'un autre âge, bruyante et salissante. C'est là que l'on installe les nouvelles arrivantes et les récalcitrantes. Marguerite fait partie des deux catégories. À son arrivée, elle a tout de suite compris que le contremaître avait ses têtes parmi les femmes de l'atelier. Sa voisine, Josette, une petite blonde boulotte, lui a expliqué : « Un biscuit vitaminé, c'est une main aux fesses ou sur les seins ; la boîte complète, tu passes à la casserole. Si tu veux changer de machine, il faut ajouter un paquet de tabac car il fume beaucoup, cet homme-là. Si tu veux passer au contrôle et ne plus te salir les mains, il faut que tu deviennes une de ses régulières, mais bon courage, hein ? »

Le contremaître est un homme plutôt jovial. Il promène sa cinquantaine bedonnante sur l'atelier en tirant sur son mégot. On dirait que l'Occupation lui plaît car elle lui procure un personnel exclusivement féminin. Il caracole en petit mâle satisfait et repu parmi ses ouvrières. Il n'est pas hostile envers celles qui se refusent à lui. Il leur jette juste un regard ironique qui semble dire « Un jour, toi aussi, tu y viendras, à mes biscuits quand tu crèveras trop de faim ; quand tu ne supporteras plus l'eczéma provoqué par l'huile rance de certaines machines, tu me supplieras de changer de poste. » Un matin, il a convoqué Marguerite dans son petit bocal en verre au milieu de l'atelier. Avant d'y aller, elle a écouté Josette : « Te laisse pas impressionner, qu'elle lui a dit. Il va te faire le coup, "ton mari est prisonnier, ça doit être terrible, ma chérie". Et puis, il posera sa main sur ta cuisse en te demandant droit dans les yeux : "Tu as besoin de quelque chose ?" » Effectivement, Marguerite l'a vu venir, le contremaître. Quand il l'a invitée à s'asseoir, elle est restée debout. « Tu veux des biscuits ? » lui a-t-il dit, en désignant une boîte en fer sur son bureau. Marguerite a fait non de la tête.

« Tu te plais ici ?

— Ça va.

— Il paraît que tu faisais des ménages à la poste, avant ?

— De temps à autre, a répondu évasivement Marguerite.

— Drôle de femme, la receveuse, hein ?

— Je sais pas.

— Mais si tu sais, a asséné le contremaître. Fais attention à toi quand même », a-t-il prévenu en fanfaronnant maladroitement. C'est comme si, soudain, il avait perdu la maîtrise de la conversation face à cette fille belle et mystérieuse. « Je verrai si je peux faire quelque chose pour toi. Tu peux retourner à ton travail », a-t-il conclu.

Tout l'atelier s'est retourné sur Marguerite quand elle a arpenté l'allée centrale.

« Alors ? a fait Josette.

— Alors rien, a soufflé Marguerite.

— T'aurais quand même pu ramener une poignée de biscuits, a rigolé sa voisine, ça ne coûte pas grand-chose. »

Pauvre fille, a pensé Marguerite. Puis elle a replongé ses bras dans le bac d'huile d'usinage.

À midi, Marguerite ne mange pas avec les autres qui déballent leurs boîtes à fricot dans l'atelier. Elle préfère aller s'asseoir à la pointe d'un petit parc, entre la rivière et le canal. Souvent, elle n'emmène pas de gamelle. Elle se pose dans l'ombre d'un tilleul, enlève ses chaussures à semelles de bois et caresse l'herbe avec ses pieds nus. Elle voudrait pouvoir plonger dans l'onde verte et immobile, retrouver un peu de cette fraîcheur insouciante que procuraient les bains d'avant-guerre. En amont, la rivière fait un coude bordé d'un banc de sable et de gravier où des gamins pataugent en criant. Elle voudrait les rejoindre, partager leurs jeux et leurs rires joyeux. Comme si elle était encore une gamine, la petite fiancée du printemps 39 qui croyait que la vie serait belle, une alliance à sa main gauche, un homme rassurant dans ses bras. La guerre l'a projetée à l'âge adulte, sans Pierre. Aujourd'hui, elle se demande souvent si l'existence serait différente sans l'Occupation, si cet ennui gris qui l'enveloppe disparaîtrait avec la paix revenue. Elle ne sait plus si elle se réjouirait en attendant le retour de son homme de l'usine, en lui préparant sa semoule au lait, en repassant ses pantalons de travail et en arrosant le jardin au petit matin, comme il le lui demandait. Même le désir est devenu indécis, fugace, l'homme qu'elle se représente dans son corps lui est de plus en plus étranger.

Marguerite mâchonne sans conviction une tige de fleur de pissenlit quand la sirène de l'usine retentit. Il lui faut retraverser le pont, elle sera en retard, ça fait mauvais genre pour une nouvelle, mais elle s'en moque. Elle ne veut pas être de ces femmes qui se mettent au garde-à-vous quand le directeur passe dans l'atelier, un cigarillo à la bouche, les mains derrière le dos. La rumeur dit qu'« il fait le double jeu » : il produit le jour officiellement pour les Allemands et approvisionne la Résistance la nuit. Parfois, il s'arrête devant une machine et demande d'une voix monocorde si « tout se passe bien ». Il n'écoute pas la réponse de l'ouvrière, ni le commentaire servile du contremaître. Un jour, lors d'une de ses visites impromptues, Marguerite venait de casser l'outil de sa machine. « Tu l'avais mal serré », a vitupéré le contremaître. Le directeur a souri doucement : « C'est le métier qui rentre, hein, mademoiselle ? » Marguerite a souri aussi. Ce n'est pas tant « le métier qui rentre » qui lui a plu dans son commentaire que le « mademoiselle ». Un instant, Marguerite s'est sentie jeune et libérée d'un drôle de poids alors qu'elle reprenait son ouvrage.

C'est l'après-midi qui lui semble le plus long à l'usine, surtout quand le soleil d'août pèse sur la verrière et parvient même à réchauffer son coin d'ombre. L'air sent la transpiration et les copeaux de métal chaud. Les filles se mettent bras nus. Le contremaître n'en perd pas une miette, son mégot de tabac récupéré dans les restes de cigarillos de son patron aux lèvres. Parfois, il tente d'insignifiantes conversations. « Tu fais du jardin ? » ; « Tu as des nouvelles de ton mari ? » ; « Tes gosses doivent se baigner de ce temps-là ? » Les filles lui répondent machinalement. Les « régulières » ont droit à des chuchotements et à des œillades. Marguerite, elle, ne répond jamais rien. Elle se fait un malin plaisir à pousser une grosse poignée de copeaux à ses pieds quand il s'arrête devant elle. Quand il est passé, Josette hoche la tête : « Tu ne l'aimes pas, mais à quoi ça te sert d'agir ainsi avec lui ? » La réplique de sa voisine a le don de l'agacer. Elle ne supporte pas ce « à quoi ça te sert ? ». Rien ne sert pour Marguerite. Elle ne calcule rien, n'attend rien de cette vie d'usine. Marguerite songe à Raymonde. Si Raymonde avait « calculé » quelque chose dans sa vie, elle n'aurait jamais fait traverser la ligne de démarcation, elle n'aurait pas perdu son bébé, elle serait encore derrière son guichet à la poste. Marguerite avait toujours aimé sa force ; elle avait découvert avec elle qu'une femme pouvait sortir de ses fourneaux pour exprimer ses convictions, son engagement. Elle aurait voulu suivre son chemin. À défaut d'être dans ses pas aujourd'hui, elle veut rester fidèle à l'absente, faire un pas de côté dans la banalité de son quotidien, comme la postière l'y aurait encouragée. Certes, Marguerite ne prendra pas le maquis, mais elle ne veut pas courber l'échine comme les autres. Elle croit à sa petite liberté de penser dans ce monde immobile.

« Tu viens danser avec nous dimanche ? » lui demande Josette. Marguerite fait non de la tête. La sirène du soir vient de retentir. Elle prend tout son temps pour nettoyer sa machine avec un pinceau et un chiffon, évitant ainsi le troupeau des ouvrières qui rejoignent le vestiaire. L'atelier se fait silencieux. Par les fenêtres ouvertes, on entend les cris des hirondelles qui rasent les murs. Elle est la dernière à ôter sa blouse grise et à refermer son casier. Au bout de l'allée, le contre-maître l'observe, songeur. Il souffle : « T'es bizarre quand même. » Dans l'intonation de sa voix, il y a un mélange de crainte et de respect que Marguerite savoure comme une petite victoire quand elle pédale vite dans le vent chaud de l'été.

Octobre 42

Comme tous les midis, Marguerite rejoint son petit parc. Elle ne cherche plus l'ombre des grands arbres. L'automne est arrivé en pente douce, les feuilles virent à l'or puis au brun. L'herbe sent l'humidité âcre des premières pluies froides et du brouillard qui s'accroche de plus en plus longtemps, chaque matin, à l'onde du canal et de la rivière. Quand le soleil parvient à chasser la brume, il dore timidement l'horizon où le regard de Marguerite vagabonde souvent. Mais depuis plusieurs jours, elle observe un étrange manège, Josette qui vient ici à pas rapide et rejoint un drôle de petit kiosque à musique abandonné à la pointe du parc. L'endroit est discret, en partie masqué par un boqueteau de peupliers et les roseaux du bord de l'eau. Quelques minutes après le passage de Josette, un soldat allemand emprunte le même chemin. Il semble très jeune et très mince, flottant dans son uniforme ; il fume nerveusement en regardant la pointe de ses bottes, comme s'il était très occupé, investi d'une mission impérieuse. Puis il disparaît à son tour derrière la frondaison.

Depuis qu'elle observe, chaque jour, cette scène, Marguerite a pris l'habitude de s'asseoir en contrebas de la berge afin de ne pas être repérée. Là, son imagination galope car elle veut comprendre ce qui réunit ces deux êtres. Elle ne se sent ni voyeuse ni curieuse, car elle se répète qu'elle n'a pas demandé à connaître cette histoire. Les premières fois qu'elle a observé ces allées et venues, elle est restée médusée, incrédule. Certes, il se disait en ville que des « femmes couchaient avec les Allemands ». Mais tout cela semblait irréel dans le monde de Marguerite qui changeait de trottoir quand elle croisait l'occupant. L'idée même de la proximité avec les Allemands lui semblait contre-nature. Elle les voyait rarement dans son faubourg où ils passaient en patrouille, toujours pressés. Comment imaginer Josette dans les bras de l'un des leurs ? La question – sans réponse – continue de tarabuster Marguerite ce midi d'octobre.

Elle ne ressent pas de colère contre sa collègue d'usine, elle veut seulement comprendre pourquoi ces deux-là se retrouvent chaque jour, sans doute, s'embrassent, se caressent, se cajolent, et font, peut-être, l'amour. Il faut dire que la petite blonde boulotte et rigolarde a changé d'attitude depuis cet été. Elle est triste, ne blague plus dans l'atelier où, pourtant, personne ne semble au courant de ses rendez-vous quotidiens. Quand la sirène retentit à une heure et demie, Josette est la première à sortir de sa cachette pour rejoindre l'usine. Pour éviter de la croiser, Marguerite longe la rivière à l'abri de la berge et emprunte un raidillon qui rejoint le pont. Elle attend que Josette ait atteint le portail de l'usine pour le franchir à son tour. Dans l'atelier, Josette est déjà là, songeuse, devant sa machine, elle effectue des gestes mécaniques et répétitifs, le regard perdu sous la verrière.

Marguerite imagine un combat intérieur qui mine la jeune femme, un tiraillement insupportable entre la perspective de passer pour une « traînée », une « salope » si elle est surprise avec l'Allemand et l'obligation de le perdre pour sauver les apparences. Josette a pour elle de ne pas avoir de fiancé ou de mari prisonnier en Allemagne. Mais que vaut son état de célibataire en ce temps de guerre où les circonstances atténuantes n'existent plus ? Marguerite, elle, a un mari même s'il ne lui a jamais semblé aussi loin, même si elle ne relit plus ses lettres tous les jours comme au début de la guerre. Elle ne s'imagine pas une seconde dans les bras d'un autre homme. Ce n'est plus tant ses sentiments pour Pierre qui lui interdisent une telle perspective, car son amour s'est fané durant ces années d'ombre, c'est plutôt la solitude qui a chassé l'envie, le désir d'affection, le besoin de l'autre. Marguerite se sent comme un fruit sec, stérile, dans sa thébaïde.

Dans ses lettres à Pierre, elle s'oblige à écrire des mots de tendresse qui sont des bouteilles à la mer qu'elle abandonne sur le papier sans se soucier de leur destinée. Que valent des « je t'aime » et des « baisers » quand on n'a pas vu, touché, enlacé, embrassé l'autre depuis trois ans ? L'amour est devenue une chimère se repaissant de solitude et d'ennui dans le quotidien de la France occupée. Il n'y a plus de rêves pour ces femmes seules, et Marguerite ne veut surtout pas juger celles qui tombent dans les bras d'un Allemand. Seulement elle ne comprend pas ce qui peut les émouvoir chez ces hommes vert-de-gris qui fouettent l'air avec leur cravache, qui jappent leur autorité à chaque coin de rue.

Elle pense à Raymonde dont elle est sans nouvelle depuis cet hiver et cette nuit froide où elle l'a vue pour la dernière fois, fiévreuse, dans la forêt. Que dirait la postière, si éprise de liberté, à Josette ? Sûr qu'elle commencerait par lui passer un savon pour avoir été vue avec un Allemand, la mettrait en garde sur les dangers du qu'en-dira-t-on. Puis elle ferait silence, bras croisés, son regard pénétrant planté dans les yeux humides de Josette. « Mais tu l'aimes, n'est-ce pas ? » lui dirait ensuite Raymonde. Marguerite murmure en boucle ses mots qu'elle attribue à la postière. « Mais tu l'aimes, n'est-ce pas ? » Elle finit par en sourire, attendrie, se promet que demain, elle abordera Josette avec cette question.

Demain est un jour de pluie. Marguerite rattrape Josette juste à l'entrée du pont alors que la sirène de l'usine résonne encore. Le vent chargé de gouttes fouette le visage des deux femmes, les faisant grimacer, tandis qu'elles avancent côte à côte.

« Tu étais en ville ? tente Josette, essoufflée.

— Tu l'aimes, hein ? lance Marguerite d'une voix neutre.

— Qui ?

— Tu sais très bien d'où je viens et ce que j'ai vu.

— Non.

— Comme tu veux. Je ne dirai rien à personne. Je ne suis pas là pour te juger. Je te dis juste de faire attention. Les gens sont pas tendres ; les Allemands non plus. Moi, je veux juste savoir si tu l'aimes. »

Josette accélère le pas, ouvre un parapluie noir sous lequel elle cache son visage ; marche dans une grosse flaque d'eau en jurant sourdement. Marguerite devine sa colère alors qu'elles franchissent le portail.

« Tu m'as suivie, décrète furieusement Josette.

— Non, pas du tout, répond Marguerite doucement. Ta vie, c'est ta vie. »

Sa voisine d'atelier referme son parapluie à l'entrée du vestiaire et se retourne brièvement. « Oui, je l'aime et ce sera tout ce que tu sauras. » Puis elle ouvre la porte de son armoire pour prendre sa blouse grise. Sans voir le sourire de Marguerite.

Noël 42

La neige vient un dimanche au crépuscule en petits flocons légers. Marguerite est en train de repriser les grosses chaussettes qu'elle enfile pour supporter le froid glacé du ciment de l'atelier. Elle s'assoit près de la fenêtre pour profiter des dernières lueurs du jour quand elle voit la croûte brune du jardin mouchetée de blanc. Marguerite sourit, elle aime la neige car elle lui rappelle les jours heureux avec Pierre où ils allaient gravir la colline de l'autre côté de la rivière pour se perdre au milieu des sapins en écoutant leurs pas crisser sur le sol enneigé. Ils ramassaient des gratte-culs confits par le gel et échangeaient des baisers acidulés. Même qu'un jour, Pierre avait voulu faire l'amour sur la neige où il avait déposé sa canadienne. Marguerite se souvient de ses mains chaudes sur ses fesses, son homme tentait ainsi de la réchauffer sous les assauts de la bise. Auparavant, elle n'aurait jamais imaginé jouir dans un tel décor hivernal. Ils s'étaient relevés, repus et chavirés, avaient couru jusqu'au café jouxtant l'église au sommet de la colline et avaient bu un vin chaud. On y célébrait un repas de mariage ; on les avait invités à boire un verre de mousseux et à manger un chou de pièce montée. La mère de la mariée avait demandé à Marguerite quand viendrait son tour. Elle avait dit « L'été prochain » en regardant Pierre qui fumait avec un camarade de football.

Marguerite attend la nuit noire pour aller chercher du bois au bûcher. Elle porte trois rondins entre ses bras et, en s'emparant d'un quatrième, sent une enveloppe de papier sous la bûche. Elle la range dans son tablier et porte son fardeau dans la cuisine, le dépose dans la caisse à bois et sort l'enveloppe immaculée. Elle la décachette. À l'intérieur, une seule feuille de papier gris avec un texte rédigé à l'encre noire.

« Ma petite, quand tu auras fini de lire cette lettre, brûle-la. Il y a bien longtemps que je voulais t'écrire mais je ne savais pas comment te faire parvenir mes mots sans te mettre en danger. Je pense beaucoup à toi depuis notre dernière rencontre, je me dis "Qu'est-ce qu'elle fait ? A-t-elle des nouvelles de son mari ? A-t-elle un travail ? Comment fait-elle pour assumer toute seule sa maison, son jardin ?" d'autant que je sais que ta voisine est morte. Tu sais, comme toi, j'ai toujours su que c'était compliqué pour nous. On a voulu me dresser pour courber l'échine. J'ai appris à servir mon père et mes frères. Quand je suis devenue une femme, on a serré encore un peu plus la vis ; il fallait que j'obéisse à l'homme que j'étais censée épouser. À l'obéir en tout, et pas toujours pour mon plaisir. De toute façon "le plaisir du lit", on m'a dit que ça n'existait pas. Mais tu sais, toute jeunotte, je m'étais déjà juré

que je n'aurais jamais cette vie-là. J'ai eu la chance de faire un peu d'études, ça m'a aidée à dire "merde" aux autres quand j'ai eu un travail. Je ne le regrette pas même si cela m'a coupée de ma famille. Et puis cette guerre, toute cette misère, tous ces moutons qui bêlent avec leurs carnets de tickets, leur "Travail, famille, patrie"... Je sais toute la peine que vous avez à survivre dans ce pays. Je sais aussi que tu n'es pas comme eux. Je n'ai pas eu le temps de te connaître beaucoup, mais j'ai senti en toi une tête de pioche éprise de liberté. Ma grande, quand ton homme reviendra (car il reviendra, j'en suis sûre), il te trouvera bien changée ! Ça se gâte à l'Est et je veux croire que nous serons un jour, proche j'espère, à nouveau entre nous. Mais en attendant, il faut que tu prennes soin de toi, que tu restes sur le bon côté du trottoir sans te mettre en danger. Aie confiance, écoute tes petits anges, comme tu m'as dit une fois même si moi je n'y crois pas. Je t'aime fort et je t'embrasse.

Raymonde

Encore une fois, dépêche-toi de brûler cette lettre après l'avoir lue. »

Marguerite relit plusieurs fois les mots de Raymonde, elle hume même le papier, comme si elle cherchait une odeur familière. Mais la lettre est inodore. Elle la froisse tristement et la jette dans le foyer de la cuisinière où elle réchauffe une casserole de pommes de terre avec leur peau qu'elle mange sans appétit. Ce soir, le silence lui pèse encore un peu plus que d'habitude à cause de cette lettre surgie de nulle part, ce bref trait d'union vite brûlé, comme une parenthèse de complicité aussitôt refermée, l'abandonnant encore un peu plus à sa solitude.

Machinalement, elle allume le poste de TSF, ajuste le napperon qui le chapeaute : Charles Trenet chante *Que reste-t-il de nos amours ?*. Elle voudrait pouvoir répondre à Raymonde, lui raconter comment ces trois années de guerre et d'occupation l'ont changée, comment les souvenirs sont devenus des ombres fugitives, des instants indétectables, qui, parfois, viennent crever à la surface du présent comme les grosses bulles qui remontent du fond des marais. Lors de ses brefs moments où la mémoire fait battre son cœur, elle se sent revivre, mais la plupart du temps, elle se sent « perdue », impuissante à convoquer sentiments et émotions dans sa solitude. Ce ne sont plus des êtres humains qui rythment sa vie mais des objets : le réveil et son tic-tac dans la nuit ; le grondement du premier train à cinq heures ; le ronflement de la cuisinière quand le petit bois chauffe ; l'eau qui bout ; le bruit de ses pas dans les graviers ; la sirène plaintive de l'usine ; le crissement des copeaux de métal sur sa machine ; le tintement de sa cuillère dans sa boîte à fricot ; le marteau qui frappe sur le porte-outil ; la porte du vestiaire qui résiste quand on la referme ; la selle du vélo qui grince quand elle monte la côte du soir ; le sifflement de la bouilloire et l'eau chaude qui crépite dans le baquet de fer blanc où elle lave ses mains et ses bras gercés par l'huile de coupe de la machine ; le couteau qui ripe sur la croûte dure du mauvais pain qui vous fait la bouche amère et le ventre douloureux ; le froissement des pages du vieux roman feuilleton qu'elle relit pour la centième fois dans l'ennui du soir ; le cliquetis dans la serrure de la porte d'entrée à laquelle personne ne vient plus frapper depuis que Germaine est morte ; le son mat de ses épingles à cheveux quand elle les pose sur la table de nuit après avoir détaché son chignon ; le craquement sinistre du sommier quand elle se tourne du côté du mur qu'elle évite de toucher pour ne pas sentir cette froidure qui lui rappelle sa morne existence.

Marguerite voudrait aussi raconter à Raymonde l'histoire de Josette. Josette qui pavane désormais au bras de son Allemand, ignorant les messes basses dans son dos et la mauvaise réputation. Fini les rendez-vous clandestins dans le parc près du pont. Ils se sont installés dans un garni au centre de la ville, mangent au restaurant où on leur sert de la viande rouge et des vins cachetés, vont danser le dimanche bras dessus bras dessous, elle, élégante comme dans les revues de mode, lui, fier et souriant. À l'usine, on l'évite, on voudrait lui cracher dessus mais personne n'ose, la peur du boche bien sûr. Il y a bien ce bout de papier qu'elle a trouvé un matin sur sa machine, « Putain à boche » écrit à la mine rouge. Elle l'a déchiré rageusement et jeté dans le bac à copeaux, évitant les regards curieux, parfois narquois qui l'assaillaient. Marguerite l'a observée du coin de l'œil. Elle a vu tomber le masque de la colère quand les yeux de Josette se sont embués et qu'elle a posé son front sur la tête de sa fraiseuse. Marguerite s'est sentie se rapprocher d'elle, mue par un élan incontrôlable qui dépassait sa pensée. Pensait-elle d'ailleurs à ce moment-là ? Josette s'est retournée vivement et s'est enfuie vers les vestiaire tandis que Marguerite restait interdite, désarçonnée par sa propre attitude. Voulait-elle la rudoyer ou, au contraire, la prendre dans ses bras ? Ce soir, Marguerite ne sait toujours pas et elle voudrait que Raymonde soit là pour éclairer sa conscience.

Mars 43

C'est un dimanche de mars où la bise a lavé le ciel. Marguerite attend André au bout de son jardin. Elle voit sa crinière rousse surgir en haut de la pente qui dévale vers la ligne de chemin de fer. Depuis le petit bois où sa famille a posé sa roulotte, le gamin rejoint la voie ferrée et suit les rails jusqu'à la hauteur de la maison de Marguerite. Cinq kilomètres, peut-être plus, à marcher sur le ballast, ses galoches à semelle de bois butant dans les cailloux. André est pressé, il sait qu'aujourd'hui il va manger à sa faim, comme chaque dimanche où il rend visite à Marguerite. Le reste de la semaine, il a l'impression d'avoir un courant d'air qui lui vrille le ventre. À la roulotte, il y a si peu pour se nourrir. On garde pour les plus petits le peu de lait que l'on troque contre du travail à la ferme. Les pommes de terre de l'année dernière, cultivées discrètement dans un sous-bois, sont presque épuisées. Tout comme les réserves de noisettes, de châtaignes, les pommes séchées dans le petit four du poêle. Alors on mange des petits oiseaux, du renard, du hérisson. André a faim de la soupe épaisse qui l'attend chez Marguerite, de ses petits trésors salés et sucrés qu'elle garde pour lui.

Il lui a cueilli un bouquet de perce-neige qu'il offre de sa main glacée. Elle le presse de rentrer dans la cuisine où, dès le seuil, une chaleur douce enveloppe le garçon qui ôte ses galoches. Marguerite fixe ses chaussettes élimées et trouées au talon en lui tendant les pantoufles de Pierre. Le garçon, hésite, gêné :

« Ça va bien, je vais rester en chaussettes, bredouille-t-il.

— Non, tu vas avoir froid aux pieds, mets-les, ordonne Marguerite.

— Non, ça va comme ça », résiste mollement André.

Marguerite réfléchit un instant en silence et s'en va dans sa chambre. Un bruit de tiroir que l'on ouvre et que l'on referme et elle revient avec une paire de chaussettes en laine de Pierre. « Tu enfiles ça et tu me donnes tes chaussettes », gronde cette fois Marguerite. Le gamin s'exécute en rougissant. « Maintenant, tu vas t'asseoir et manger », dit la jeune femme en posant sur la table un grand bol de lait chaud. « À ton âge, on a besoin de calcium. » Il sourit et boit délicatement tandis que Marguerite verse sa bouilloire d'eau chaude dans un baquet où elle frotte vigoureusement les chaussettes trouées. « Tu ne pouvais pas rester comme ça, souffle-t-elle, alors qu'il y a ici ce qu'il faut pour t'habiller. » André repose son bol :

« Vous avez des nouvelles ? demande-t-il à Marguerite qui lui tourne le dos et dont il voit la tête osciller longuement.

— Non, et je ne crois pas que ça va s'arranger. Ils l'ont mauvaise les Allemands, avec ce qu'ils ont perdu à Stalingrad. Alors les lettres des prisonniers... », soupire-t-elle en lui servant trois grosses louchées de soupe où un reste de pain noir éponge un bouillon de chou, de navets, de pommes de terre et de carottes.

André fait des ronds sur la surface de son assiette avec sa cuillère, songeur : « Vous ne mangez pas ? » Marguerite esquisse un tendre sourire : « Non, je n'ai pas faim. » Elle ne peut pas dire à ce grand gamin qu'à cet instant, le souvenir de Pierre attablé lui revient comme un goût doux-amer, une boule de mélancolie qui lui entrave la gorge. Depuis tout ce temps sans lui, elle a appris à dompter les résurgences du passé, les tenant à distance avec une dureté qu'elle ne se serait jamais imaginée avant la guerre.

Quand des images de leur brève vie commune lui reviennent, elle mobilise toute sa froideur pour tenter de rester insensible. Mais parfois, le souvenir est plus fort qu'elle, il revient sournois, lancinant, diffus comme lorsqu'elle a des fourmis dans les doigts ou que deux vertèbres se pincent dans son dos après une longue et froide journée à l'usine. Elle sait alors qu'elle n'a pas d'autre choix que de capituler, que de laisser venir l'averse de larmes, l'ondée de chagrin. Elle va s'enfouir le visage dans son oreiller, elle ferme les yeux et serre très fort le drap de son matelas. Épuisée, elle finit par s'endormir et quand elle se réveille dans le froid humide de son lit, elle se sent comme un arbre mort et la nostalgie a passé son chemin. Souvent, à cet instant-là, elle croit entendre les mots de Germaine : « Il faut bien vivre », lui avait dit un jour la vieille dame alors qu'elle venait de surprendre ses larmes. « Vivre pour qui ? Pour quoi ? » avait failli lui dire Marguerite. À l'usine, les filles racontent souvent l'histoire de cette femme qui s'est ouvert les veines cet hiver. On l'a trouvée morte dans son lit, une photo de son homme maculée de sang et un chapelet en buis entre ses doigts. Elle avait revêtu sa robe de mariée, et au pied de son lit, on avait retrouvé une couronne de fleurs blanches séchées. À son enterrement, un curé gris et maigre avait marmonné que les temps étaient difficiles mais que le suicide était un péché. Marguerite aurait voulu lui cracher au visage son incompréhension, sa haine du bigotisme. Ce jour-là, elle avait décroché le crucifix sur le mur au-dessus de son lit et l'avait rangé tout au fond du tiroir de la penderie.

« Tu veux encore de la soupe ? » demande-t-elle à André. Il n'ose pas dire oui alors elle le sert d'office.

« Je ne vais pas vous priver ? murmure-t-il.

— Non, je l'ai faite pour toi. »

Marguerite sait que le gamin crève la faim mais que jamais il ne le dira. Un dimanche de cet hiver, elle l'avait surpris en train d'estourbir le hérisson qui hibernait au fond du bûcher. « Qu'est-ce qu'elle t'a fait, la pauvre bête ? » avait-elle demandé. André l'avait regardée, désemparé par sa colère et son incompréhension. Il n'avait pas trouvé les mots pour lui dire qu'enduit d'argile et mis dans la braise, le hérisson faisait une nourriture très convenable une fois débarrassé de ses piquants emprisonnés dans la terre cuite. Marguerite avait enterré la bestiole en trois coups de pelle sous le regard navré d'André. Aujourd'hui, il mange à pleines dents les petits gâteaux de gaudes sortis encore chauds du four. Il n'en perd pas une miette qu'il ramasse du bout de son index humide sur la toile cirée de la table. Après le repas, il pose la question rituelle de tous les dimanches : « Qu'est-ce que je peux faire pour vous ? » Marguerite répond machinalement « Rien » mais il enchaîne toujours avec « Je vais vous faire du petit bois. »

— Si tu veux », dit Marguerite en commençant la vaisselle.

Elle entend le bruit régulier de la serpe dans le bûcher alors qu'elle ravaude les chaussettes du garçon. Elle sait qu'après le petit bois, sans la consulter, il s'attaquera aux bûches noueuses qu'elle n'arrive pas à fendre. Il ira ensuite au jardin continuer le rang de terre qu'elle a commencé à bêcher. Mais aujourd'hui, alors qu'elle vient de finir de repriser ses chaussettes, elle n'entend aucun bruit au dehors. Elle jette un coup d'œil à la fenêtre et ne le voit pas. Intriguée, elle ouvre la porte et l'appelle, sans réponse. Il n'est jamais parti sans lui dire au revoir. Surtout qu'à l'heure du goûter, elle lui sert encore un bol de lait chaud et une épaisse tartine de confiture.

Dehors, le soleil blanc de mars a disparu, de grosses gouttes de pluie commencent à tomber. Marguerite fait le tour de la maison. Elle entend un refrain rageur : « Allons enfants de la patrie, le jour de gloire est arrivé ! Contre nous de la tyrannie… » et découvre André chantant avec jubilation *La Marseillaise* devant un soldat allemand assis sur un muret. L'homme sourit en découpant une tranche de gros saucisson. Il la tend à l'adolescent qui gobe la charcutaille et continue de chanter tue-tête la bouche pleine. Marguerite frissonne, se fait violence pour ne pas paniquer devant une telle scène qu'il lui faut interrompre au plus vite.

Un gamin, qui plus est un Gitan, en train de chanter devant un boche, elle se dit qu'il va à l'abattoir. Elle se sent soudain comme une louve défendant son petit. Elle plaque ses mains sur son tablier, inspire profondément et articule avec soin : « Il pleut, André, rentre, tu vas être trempé. » L'Allemand se tourne doucement vers elle et se lève. Il lui paraît grand, il est mince, les cheveux ras, poivre et sel. La peau de son visage est tannée et singulièrement mate en cette fin d'hiver. Mais surtout, ce sont ses yeux qui la happent. Un regard bleu délavé, presque dilué, mais qui vous enveloppe comme une onde d'eau claire, douce, impalpable. « Il n'y a pas de souci, madame, je vous le rends », dit le soldat dans un français minutieux et fluide. Marguerite ne peut retenir le tremblement de tout son corps. Il le perçoit, souverain et amusé : « Vous savez, il chante très bien », sourit-il en tendant le reste du saucisson à André : « Prends, petit, tu en as plus besoin que moi. » Le garçon ne se fait pas prier et revient vers Marguerite, plein d'un contentement qui la fait bouillir intérieurement. Ils foulent le gravier de la cour, elle voudrait le gifler comme un sale gosse. Il sent sa colère, baisse la tête alors qu'ils entrent dans la cuisine et qu'elle referme brutalement la porte sur laquelle elle s'adosse en soufflant bruyamment. « Tu te rends compte de ce que tu as fait ? » éclate-t-elle. Le gamin est penaud et silencieux. « Allez, assieds-toi, tu vas manger encore un peu. » André s'exécute, docile, puis murmure : « Lui, il n'est pas comme les autres. » Marguerite le fixe, dubitative, intriguée :

« Tu le connais ? » André boit bruyamment une gorgée de lait, s'écarte de son bol, hésite et lâche :

« C'est lui qui nous a dit de déplacer la roulotte.

— Hein ? fait Marguerite.

— Oui, un jour, ils sont venus à plusieurs Allemands. Ils nous regardaient en parlant entre eux.

— Et alors ? » s'impatiente Marguerite.

André mord dans la tartine de confiture. « On aurait dit qu'ils n'étaient pas d'accord entre eux. C'est celui qui vous a parlé qui a demandé d'où on venait. On a dit d'Alsace. Il a secoué la tête comme s'il était d'accord

— Et après ? insiste la jeune femme.

— Rien, ils sont partis, ma mère pleurait, elle a dit qu'ils allaient revenir.

— Et alors ? »

André pose son moignon de tartine, songeur. « Ils ne sont pas revenus. Sauf lui qui parlait français. Cette fois-là, il n'était pas habillé en soldat. Il avait un panier rempli de trompettes de la mort. Il m'a pris à part. Même que ma mère en tremblait. Il m'a juste dit : "Il faut que vous changiez d'endroit, allez dans les bois." C'est ce qu'on a fait. »

Marguerite s'est assise devant André. Elle est perdue. Pourquoi ce boche est allé dire ça à ce môme ? Quel intérêt avait-il à leur ordonner de déménager ? Elle se lève et remplit un des paniers d'osier que lui a offert André : des biscuits, un pot de confiture, un kilo de farine et les chaussettes reprisées. « Il faut que tu rentres avant la nuit », souffle-t-elle. Le gamin commence à retirer les chaussettes de Pierre.

« Non, je t'ai dit que c'était pour toi, ordonne-t-elle.

— Merci », souffle André.

Dehors, l'hiver a reconquis l'horizon, il fait gris, frisquet. André esquisse quelques pas sur le gravier puis se retourne quand Marguerite lui dit d'un ton morne : « Il ne faut pas que tu reparles à cet Allemand. » Le gamin baisse la tête, comme pris en faute. « D'accord », fait-il.

Il n'est plus qu'une ombre furtive quand elle le voit dévaler le bout du jardin et, soudain, un océan de solitude l'inonde. Vite, remplir la cuisinière de bûches pour entendre le crépitement familier des flammes.

Juin 43

C'est le temps des cerises. Marguerite a sorti la grande échelle pour cueillir les burlats. Elle n'a pas assez de sucre pour faire des confitures mais suffisamment pour les conserver avec toute l'eau-de-vie à laquelle elle n'a pas touché depuis le départ de Pierre. Et puis, elle veut en faire profiter les filles de l'usine. Le cerisier est en pleine maturité, il a beaucoup trop de feuilles, il aurait fallu le tailler mais Marguerite ne sait pas faire. Alors elle tente d'installer son échelle au milieu de cette frondaison épaisse, cherchant de grosses branches solides pour caler les montants. Puis, elle grimpe à mi-hauteur de l'arbre, accroche son panier à un ergot sur le tronc et croque dans un beau fruit ferme. Ses doigts se colorent du jus de cerise, elle se rappelle Pierre, rieur sous ses jupes quand elle était ainsi juchée dans les arbres fruitiers. Elle n'est ni triste ni gaie quand sa mémoire revient ainsi rôder. Elle s'est habituée à ce jeu d'ombres que sont les souvenirs quand ils vous assaillent. Seuls les rêves la bouleversent quand ils surgissent dans son sommeil. L'autre nuit, elle s'est réveillée honteuse et moite : ils étaient en train de faire l'amour avec Pierre au bord d'une petite rivière. Ils avaient installé une couverture à carreaux. Pierre avait calé ses cannes à pêche en bambou sur des branches de noisetier qu'il avait coupées et plantées dans le sol. Elle était en train de tricoter quand il s'était retourné et lui avait lancé « Ça ne mord pas, tu sais, on ne mangera pas de friture aujourd'hui ». Ils s'étaient souri en silence, rapprochés puis aimés.

Une brise tiède fait frémir les feuilles du cerisier alors que Marguerite songe à la fugacité de ses rêves. Ils sont comme des oiseaux de nuit dont le chant triste se rapproche dans l'obscurité sans que l'on puisse localiser précisément d'où ils proviennent, puis ils repartent, faiblissant jusqu'à devenir inaudibles. Elle s'apprête à redescendre avec son panier rempli de cerises quand, soudain, la tête lui tourne, elle a des fourmillements dans les mains et les jambes, son regard s'obscurcit, elle se sent chuter et tombe sur le sol, inconsciente.

Combien de temps reste-t-elle ainsi allongée, des cerises éparpillées autour d'elle ? Les yeux encore fermés, elle reprend connaissance. Une voix lui murmure doucement : « Comment vous sentez-vous ? » Le soldat allemand pour qui André chantait dans la bise de mars est penché sur elle. Marguerite panique mais une immense fatigue la paralyse devant ce regard d'azur qui la fixe. « Vous avez quelque chose de cassé ? Vous pouvez bouger ? » L'Allemand est calme, bienveillant. Elle respire profondément et tente de se lever mais retombe dans l'herbe. L'Allemand approche sa main de la sienne. « Ne me touchez pas », dit Marguerite, lasse mais ferme. Il pince les lèvres comme s'il refrénait un sourire. « Mais je ne vous veux pas de mal », répond-il posément. Marguerite réussit à s'asseoir, reprend son souffle et se lève dans un immense effort. L'Allemand fait trois pas en arrière et lui souffle : « Vous, vous ne mangez pas assez. » Marguerite sent une boule de colère durcir dans sa gorge. Elle contemple avec mépris ce soldat impeccablement sanglé dans son uniforme et lâche dans un élan de morgue : « La faute à qui ? Partez de chez moi, s'il vous plaît. » L'Allemand secoue la tête en souriant doucement : « Bien sûr, vous avez l'air d'aller déjà mieux. » Il se retourne, foule le gravier de la cour et disparaît à l'angle de la maison.

Marguerite rentre chez elle sans un regard pour ses cerises. Elle ferme bruyamment la porte et s'allonge sur son lit. Elle ne supporte pas d'avoir été ainsi surprise comme un oiseau blessé. Qu'un homme ait pu la contempler après sa chute. Qui sait s'il ne l'a pas touchée alors qu'elle était inconsciente. Elle palpe vigoureusement sa bouche avec ses mains, puis sa poitrine, ses jambes et ses fesses qui sont douloureuses. Vite, elle se lève, ferme les volets de la cuisine et remplit une bassine d'eau froide. Elle se déshabille et se lave avec rage au gant de crin. Elle croise le miroir accroché au mur où elle lit sa rage, son angoisse de la souillure. C'est comme si toute sa carapace fabriquée dans la solitude était en train de se fendiller. Se laisser ainsi surprendre par un homme, qui plus est un Allemand, l'ennemi, l'occupant, celui qui lui a volé son Pierre, Marguerite ne décolère pas.

Une fois lavée, elle s'assoit à table, la tête dans les bras, il faut qu'elle fasse quelque chose. Elle voudrait que

Raymonde soit là, qu'elle la rassure, qu'elle lui donne de l'ouvrage pour ne pas penser, comme quand elle récurait le plancher de la poste. Elle décide de briquer la fonte de sa cuisinière, de cirer son buffet de cuisine, de laver le sol à grande eau. Sa frénésie l'entraîne ensuite au jardin, où faute de travail suffisant en ce début d'été, elle s'attaque à un carré de friche derrière le poulailler. Qu'importe ce qu'elle y plantera, il faut faire place nette. D'abord arracher l'herbe, les racines avec une sorte de houe à manche court qui l'oblige à se pencher tout près du sol. La sueur coule sur ses reins, ses joues sont en feu. Elle ne s'accorde qu'un court répit avant d'empoigner la bêche pour fendre cette terre dure et sèche mais lourde à retourner.

Les jours de juin sont les plus longs mais Marguerite est encore dans son jardin à la nuit venue. Elle range ses outils dans l'obscurité et s'assoit sur le seuil de la cuisine. Le labeur l'a apaisée mais elle a encore dans les yeux le regard de l'Allemand qui lui procure un sentiment désarçonnant. La colère du matin a laissé la place à une drôle de curiosité, à un intriguant désir d'en savoir plus sur cet homme qui parle un français impeccable. Elle ne l'a vu que deux fois mais il n'a manifesté ni l'hautaineté, ni la froideur des soldats qu'elle a pu croiser au cours de contrôles d'identité en ville. Il n'a pas non plus la mine satisfaite des vainqueurs occupant la ville. Et pourtant, peut-être a-t-il déjà combattu des Français comme son homme, tué des résistants, raflé des juifs ? Marguerite frissonne encore à l'idée qu'il ait pu la toucher lors de son malaise, avoir violé son intime solitude. Elle se sent dépossédée de cette distance qu'elle a mise avec le reste du monde depuis quatre ans. Mais dans cette nuit tiède, une petite voix intérieure lui murmure un chant réconfortant. Un jour, Raymonde lui avait dit : « Tu sais, les hommes ne sont ni blancs, ni noirs, ils sont des hommes. » Elle se souvient encore de la mine amusée de la postière devant son air dubitatif. « Tu n'as connu qu'un seul homme, c'était le Messie pour toi », l'avait raillée Raymonde. Marguerite cherche ce qui dans ce soldat allemand l'empêche, ce soir, de le détester ou seulement de l'ignorer. Elle s'entend dire : « Ses yeux ne mentent pas », en se remémorant son regard d'azur et ses mots tranquilles, prévenants, contrastant avec son apparente rugosité de combattant. Un détail surgit, ignoré jusqu'à maintenant : ses mains longues et fines qu'il avait posées sur son pantalon alors qu'il était penché sur elle. Des mains très brunes, soignées comme celles des hommes qui tiennent un crayon, un instrument de musique mais ne vont jamais à l'usine ou aux champs. Elles lui rappelaient les mains du médecin qu'elle avait consulté quand elle n'avait plus ses règles. Était-il médecin, dessinateur, professeur, ce soldat allemand ? Oui, peut-être, c'est cela, professeur de français, se dit Marguerite. Elle l'imagine, avant-guerre, promenant son regard sur une classe de blondinets, écrivant au tableau des mots comme « gâteau », « cerise », « oiseau ». Est-il marié, a-t-il des enfants ? Marguerite ne se souvient pas de l'avoir vu porter une alliance.

Elle se lève et va se coucher, étrangement remplie de cette curiosité qu'elle n'aurait pu imaginer ce matin encore. Un chien aboie au loin. Onze heures sonnent au clocher. Deux hommes peuplent les songes de

Marguerite : Pierre et le soldat allemand. Deux hommes que tout oppose dans la tempête de la guerre ; deux hommes arrachés à leur vie d'avant, loin de chez eux. Deux hommes que des femmes ont aimés avant les tourments et les incertitudes de la guerre. Mais, étrangement, leur cohabitation dans l'esprit de Marguerite lui procure une apaisante tranquillité.

Au matin, quand elle s'éveille, une drôle d'intuition l'habite. Elle se lève d'un bond et va ouvrir la porte d'entrée. Sur le seuil, elle découvre un paquet enveloppé de papier brun soigneusement ficelé. Marguerite l'ouvre sur la table de la cuisine : à l'intérieur, il y a du chocolat, des gâteaux secs, du café, du sucre, un gros saucisson et un petit mot écrit d'une plume soignée : « Pour vous et André, Franz. »

Septembre 43

C'est devenu un rendez-vous hebdomadaire. Tous les dimanches, après le déjeuner, André disparaît au coin de la maison pour retrouver Franz assis sur une borne en granit. Cela fait jaser dans le quartier. Pensez donc, un boche qui parle à un petit Gitan. On les observe derrière les rideaux, on soupçonne le gamin d'être un mouchard contre une poignée de bonbons, trois tranches de saucisson. On accuse l'Allemand d'« en être », de ceux qui convoitent les petits garçons. Et puis cette femme qui le recueille tous les dimanches, qui ne parle à personne, qui s'est mariée un mois avant la guerre, comme si elle avait pu ignorer ce qui allait se produire. Marguerite sait tout cela mais elle n'en a cure. Elle n'a jamais revu Franz depuis sa chute du cerisier. Elle n'a pas cherché à le remercier non plus. Sa dureté a repris le dessus après sa curiosité. On se prive de tout à cause des Allemands alors que sont quelques rogatons déposés sur le seuil de la cuisine ? De toute façon, elle a tout donné à André, trop heureux de régaler sa famille. Aujourd'hui encore, il chante pour Franz qui bat la mesure avec une petite baguette de noisetier. Marguerite sait tout de leurs échanges qu'André lui raconte à l'heure du goûter. Ils parlent du sport, des acteurs de cinéma, des personnages de dessins animés. Ce qui soucie Marguerite, c'est que l'Allemand sait tout de la vie du gosse, de l'emplacement de sa roulotte. Elle imagine les boches arrivant un jour à l'orée de la forêt, embarquant tout ce petit monde comme ils le font avec les juifs. Elle a beau répéter à André qu'il doit en dire le moins possible, il se sent en confiance avec Franz. « Lui aussi me raconte sa vie », proteste-t-il face aux récriminations de Marguerite qui a ainsi appris que l'Allemand est marié, sans enfant, qu'il dessine des machines dans une usine et joue du violon. « C'est pour cela qu'il veut que je chante, il dit que j'ai une belle voix, se félicite André. Il m'a promis qu'un dimanche, il viendrait avec son violon. » Alors Marguerite lui répète, encore et encore, que Franz n'est qu'un soldat allemand qui a envahi la France, fait prisonniers les hommes et affame son pays. Un jour qu'elle lui parlait ainsi, André l'a regardée tristement en disant : « Lui, au moins, il ne me traite pas de voleur de poule. » L'Allemand lui a même commandé un panier en osier pour aller à la pêche quand il rentrerait chez lui.

Aujourd'hui, Franz a amené un livre avec lui. Des contes de Grimm traduits en français. Quand il propose à André d'en lire un, le gamin prend un air gêné en s'emparant gauchement de l'ouvrage. L'Allemand hoche la tête pour l'inviter à commencer la lecture. André inspire profondément et ânonne les premiers mots de la fable, rougissant de plus en plus. Avant qu'il ait terminé une page, Franz met fin à son supplice avec une moue désolée. « C'est bien, mais tu pourrais faire mieux, tu sais. C'est comme le football, il faut beaucoup s'entraîner. » André hausse les épaules.

« Ça ne se passe pas bien à l'école ? poursuit l'Allemand.

— Je ne vais plus à l'école », souffle le gosse.

Un long silence s'installe. « Si tu veux, je peux t'aider, ici, chaque dimanche », suggère Franz. André se tord les doigts en hochant la tête. « Alors, on va faire comme ça, propose le soldat. Tu emmènes le livre chez toi, tu lis un peu chaque jour des contes à tes frères et sœurs, et le dimanche, on voit comment tu as progressé. » André est silencieux et songeur.

« Qu'est-ce que tu t'es fait là ? demande Franz en désignant une grosse ampoule dans le creux de sa main droite, entre le pouce et l'index.

— C'est quand je fais le petit bois de Marguerite, explique André. Sa serpe ne coupe plus. »

L'Allemand sourit :

« Il faut l'affûter. Tu ne sais pas faire ?

— Non », dit André.

Franz réfléchit quelques instants. « Je peux le faire, moi. » André sait que Marguerite ne laissera pas entrer l'Allemand dans son bûcher. « Je reviens », fait-il en courant.

Marguerite est en train de cuire des gâteaux quand André s'approche de la cuisinière, embarrassé par la demande qu'il s'apprête à faire.

« Tu as besoin de quelque chose ? demande-t-elle machinalement.

— C'est l'Allemand, il veut aiguiser la serpe qui ne coupe plus.

— Mais de quel droit ! » s'exclame Marguerite.

André hésite puis lance : « C'est moi qui lui ai dit, il s'est proposé. » Marguerite a le regard dans le vague, absorbée par ses pensées et un drôle de dilemme. Elle a eu beau tenter de se remémorer les gestes précis et sûrs de Pierre, jamais elle n'est arrivée à affûter cette foutue serpe émoussée. Refuser la proposition de Franz, c'est condamner le gamin à s'esquinter les mains quand il veut faire du petit bois. L'accepter, c'est encore une fois le laisser mettre un pied ici. Elle ne veut pas non plus que les voisins le voient affûter sa serpe dans la rue. Marguerite convoque toutes ses forces pour trancher. Ils resteront dans la cour pour l'aiguisage. « Va chercher la serpe », ordonne-t-elle à André tandis qu'elle sort la pierre à affûter d'un tiroir du buffet de cuisine. Il revient avec l'outil. « Vous irez dans la cour, il y a un billot avec un pot de fleurs. Il pourra s'appuyer dessus pour affûter. »

Franz n'est pas étonné du manège qu'on lui fait faire. Il s'accroupit devant le tronc de bois sur lequel il pose la lame de la serpe et commence à l'aiguiser avec la pierre sombre. « Tu vois, il suffit de faire comme ça », explique-t-il à André qui n'en perd pas une miette. « C'est mon grand-père qui m'a appris dans les montagnes de Bavière. » Marguerite observe la scène de biais derrière sa fenêtre de cuisine. La complicité de ces deux-là est si évidente qu'elle doit bien l'admettre. L'Allemand fait des gestes patients et lents pour qu'André les enregistre. « Tiens, essaie toi-même », dit-il en tendant la serpe et la pierre à André qui s'exécute avec application. « C'est bien, tu n'as pas les deux pieds dans le même sabot, comme on dit ici », sourit Franz. Quand la serpe est affûtée, ils se relèvent dans un même élan. « Maintenant, ce sera facile de faire ton petit bois, déclare gaiement le soldat allemand. Tu peux tout rapporter à la dame. » Marguerite quitte la fenêtre quand André ouvre la porte : « Voilà, c'est fait ! » s'exclame-t-il. Elle contemple le fil brillant de la lame de la serpe, un peu triste. Il y a si longtemps qu'un homme n'a pas ainsi œuvré chez elle. Là, elle se sent fragile, dépendante et ce constat l'agace. Elle remplit un petit sac de gâteaux de gaudes et le confie à André : « C'est pour lui, va lui donner.

— Je lui dis que c'est de votre part ? demande le garçon.

— Tu ne lui dis rien. Il est bien assez grand pour comprendre », marmonne Marguerite.

Franz a repris sa place sur la borne en pierre, il fume rêveusement. « C'est de sa part, pour la serpe », croit bon de dire André en lui tendant le paquet de gâteaux. L'Allemand sourit, intrigué, s'empare d'un des biscuits, l'observe et mord dedans. « J'espère au moins que ce n'est pas empoisonné », fait-il en feignant une mine suspicieuse. André s'insurge : « Marguerite ferait jamais ça !

— Tu sais ici, on ne nous aime pas et c'est normal », conclut Franz.

Décembre 43

Il fait doux en ce jour de Noël. Marguerite s'est levée tôt pour offrir un repas de fête à André. Elle a tué une vieille poule qui ne donne plus d'œufs. Elle va la faire en soupe avec ses légumes qu'elle cultive : les carottes et les pommes de terre conservées à la cave, les poireaux, les navets et du chou qu'elle est en train d'arracher au jardin. L'air sent la terre mouillée, les feuilles mortes et le feu de bois. Elle pensait qu'une lettre de Pierre arriverait pour Noël mais le facteur ne s'arrête plus jamais chez elle. Ce ne sont plus des mots doux qu'elle attend mais une preuve de vie. L'amour s'est dilué dans cette vie immobile, dépouillée d'espoir. L'été dernier, les souvenirs venaient la visiter dans ses rêves, capricieux et imprévisibles. Aujourd'hui, ils passent leur chemin. Parfois, Marguerite s'empare d'un pull, d'une chemise de Pierre, de son couteau à saigner les lapins comme s'il s'agissait de fossiles, témoins d'un passé englouti dans la glaise, devenue une roche dure impénétrable.

Au réveil, ce matin, elle a tenté de se remémorer ce Noël 39 où elle avait pris le train pour rejoindre son mari, en fausse permission. C'est comme si elle avait marché avec difficulté dans un champ labouré recouvert par un épais brouillard. Elle s'était sentie désorientée, sans repères, dans ce passé sur lequel elle n'avait aucune prise. Le seul souvenir qui lui était revenu était cette nuit où elle était étrangère dans un lit froid avec Pierre ; absente de leurs étreintes. Elle en avait voulu au désir des hommes, capables de faire l'amour sur un quai de gare ou dans une chambre payée à l'heure.

Le bouillon de poule qui murmure sur un coin de fourneau embaume la cuisine. Avec le foie de la volaille et du pain rassis, elle confectionne un gâteau de foie. C'est sûr, André va se régaler. Depuis septembre, le livre de contes offert par Franz ne le quitte plus. Il n'est pas peu fier de lire à haute voix devant Marguerite pour lui montrer ses progrès. Pour Noël, elle est allée en ville lui acheter *Sans famille* d'Hector Malot avec une belle couverture illustrée. Elle lui a aussi tricoté une paire de gants qui réchaufferont ses mains gercées par le froid quand il scrute des kilomètres de ballast le long des voies de chemin de fer pour y dénicher un petit bout de charbon. Il fait un froid de gueux dans la roulotte, la fratrie se serre sous un monceau de couvertures quand le vent du nord hurle dans la nuit et que le fourneau est impuissant à réchauffer leur antre misérable.

Mais jamais André ne se plaint. Il s'inquiète plutôt pour Marguerite, un femme seule dans la vie, c'est impensable dans sa tribu. Pour Noël, il lui a tressé une petite hotte qu'elle pourra accrocher au mur et dans laquelle elle pourra mettre le joli bouquet de fleurs séchées qu'il lui a confectionné depuis cet été. Il a aussi terminé le panier de pêche pour Franz, en cachette de sa mère, qui lui aurait certainement interdit d'offrir un tel cadeau à un soldat allemand.

Quand Marguerite lui ouvre la porte, il ne peut masquer sa surprise devant la tenue de la jeune femme qui a abandonné aujourd'hui son tablier pour une jolie robe. Elle porte aussi des boucles d'oreilles et un petit collier. Elle a un sourire amusé devant sa mine d'adolescent rougissant. « C'est Noël », fait-elle. La table est mise, une table de fête avec les assiettes et les couverts du service de mariage. Il y a de jolies branches de sapin disposées sur la nappe à carreaux rouges et même une petite carafe de vin rouge. « On va trinquer », dit joyeusement Marguerite en versant un peu de vin dans leurs deux verres. Elle lève le sien, André en fait autant. « Il faut se regarder dans les yeux », ordonne-t-elle. À la première gorgée, le gamin sent un liquide épicé et chaud descendre dans sa gorge. Il toussote.

« Tu n'as jamais bu du vin ? demande Marguerite.

— Si, si quand on fait les foins chez les paysans, répond André pour faire bonne figure. Mais coupé avec de l'eau et avec un peu de sucre », avoue-t-il.

Marguerite lui sert un gâteau de foie entouré de sauce tomate. Elle commence toujours par le regarder manger. D'abord du bout de la fourchette, par petits morceaux, car c'est ce qu'il imagine être les bonnes manières. Mais sa faim chronique finit toujours par prendre le dessus, il ne peut pas dominer longtemps cette voracité animale, enchaînant des bouchées de plus en plus grosses, épongeant la moindre goutte de sauce avec son pain, rongeant les os jusqu'à la moelle. Chez lui, tout se mange, même les épluchures.

Marguerite le laisse ainsi dévorer jusqu'à la dernière pointe de tarte qu'elle a confectionnée avec des pommes d'hiver. Le vin lui a rosi les joues. Ils se regardent en silence. « C'est quoi votre plus beau souvenir de Noël ? » tente André. Marguerite le dévisage, songeuse, en tapotant la table avec sa petite cuillère. Elle est surprise par la curiosité du garçon, son ton grave qui n'a rien d'enfantin. Il lui semble qu'elle va répondre à un adulte. « La demande en mariage de mon mari, il y a cinq ans.

— Vous habitiez déjà ici ?

— Lui oui, moi pas encore.

— Il a demandé votre main ici ?

— Non, on était montés à la chapelle sur la colline. Il m'a dit qu'il n'allait jamais à la messe mais qu'il croyait en Dieu.

— Il vous a dit quoi pour le mariage ?

— On s'est assis sur un banc dans la chapelle. Il a pris ma main et il m'a dit "Je veux que tu sois ma femme".

— Il ne vous a pas offert un bouquet de fleurs ? »

Marguerite sourit : « Non, jamais en hiver. Pierre aime les fleurs des champs. Il en ramenait des fois en sortant de l'usine. » Elle songe à ce gros bouquet de marguerites qu'il lui avait offert un soir de l'été 39. Ils avaient fait l'amour puis s'étaient assis sur le banc du jardin. Pierre fumait rêveusement, en pensant à cette guerre toute proche.

« Tu penses à quoi ? avait-elle demandé.

— Qu'un jour si je ne suis plus là, je voudrais que tu fleurisses ma tombe avec des marguerites.

— Mais tu seras toujours là », avait protesté tendrement Marguerite en embrassant ses lèvres chaudes.

En ce temps-là, elle ne croyait pas à cette guerre, à ces bruits de bottes que l'on entendait à la radio. Les gouvernants allaient bien finir par s'arranger et mâter ce nabot allemand énervé.

« Et c'est tout ? s'insurge André.

— Non, il m'avait aussi offert cette bague, dit Marguerite en montrant un anneau doré orné d'un brillant à sa main droite.

— Elle est jolie.

— Oui », fait Marguerite un peu agacée. Tout cela lui semble si loin, un peu incongru. Elle veut passer à autre chose. Elle se lève et va chercher dans la chambre les cadeaux pour André. Elle s'approche du garçon et lui tend son paquet : « Joyeux Noël, André. »

Le garçon paraît un peu décontenancé par cette générosité dont il n'a pas l'habitude. Il pose son cadeau sur la table. « Attendez, moi aussi j'ai quelque chose pour vous », fait-il en quittant la cuisine pour aller au bûcher où il a caché sa petite hotte en osier ornée de fleurs séchées. Il revient et tend son présent à Marguerite. « C'est juste un petit quelque chose. »

Marguerite soulève la hotte, la tourne pour apprécier la finesse de l'ouvrage. « J'aime beaucoup. C'est d'autant plus beau que c'est toi qui l'as fait. »

André s'est rassis, la tête appuyée sur sa main droite. « Ça me fait très plaisir de tresser l'osier pour vous, dit-il.

— Et toi, tu n'ouvres pas tes cadeaux ?

— Si. »

André déplie soigneusement le papier et découvre le livre avec un large sourire. Il enfile les gants, hoche la tête. « Ils sont parfaits.

— Tu sais, on peut s'embrasser pour Noël, tente Marguerite avec un brin de malice.

— Oui, si vous voulez », balbutie le môme.

Elle sait qu'il n'osera pas se lever pour l'embrasser. Elle se baisse pour déposer deux baisers sonores sur ses joues. Il tourne la tête et tend ses lèvres maladroitement vers le cou de Marguerite qui s'amuse de sa gaucherie. Il feuillette son nouveau livre avec gourmandise.

« Il te plaît ?

— Oui beaucoup, vous savez, avant jamais je n'aurais imaginé aimer autant lire », lâche André.

Il voudrait lui dire que c'est grâce à l'Allemand mais il croit qu'elle ne comprendrait pas. D'ailleurs, il va aller faire un peu de petit bois pour pouvoir sortir et le retrouver. Dimanche dernier, Franz lui a dit : « Je serai là le jour de Noël. » Marguerite n'est pas dupe.

Dehors, il bruine. Un méchant crachin d'hiver qui vous transperce les os. Franz est assis sur sa borne. Très droit, un sac à ses pieds. Il tourne doucement la tête quand André s'approche : « Ce n'est pas un temps de Noël. Chez moi, il doit neiger. » Le garçon observe cet homme tranquille malgré la pluie qui perle sur sa capote.

« Tu as bien mangé ? fait-il.

— Oui », dit André en ôtant vivement les mains de derrière son dos pour tendre son panier de pêche. La surprise se lit dans le regard délavé de l'Allemand qui devient soudain brillant.

« C'est pour moi ? souffle-t-il.

— Ben, oui, fait le grand gamin.

— C'est du beau travail, apprécie Franz. Je vais pouvoir y ranger les truites que je pêcherai. Tu vois, je couperai des grandes herbes que je poserai comme ça au fond du panier pour y faire un lit et puis j'y déposerai les poissons. Tu pêches, toi ?

— Oui, des vairons avec du fil et un bout de bois pour faire plaisir à mes petits frères et sœurs », répond André. Il marque un temps d'arrêt, rigole et ose : « Et des truites que j'attrape à la main, sous les souches des arbres au bord des rivières. »

Franz le contemple avec affection : « C'est pas bien ça, c'est interdit, monsieur André. » Puis il fouille dans son sac et lui tend deux paquets, un long et fin, un carré et un rectangulaire. « Ouvre, c'est pour toi. » André ne se fait pas prier. Il découvre un stylo plume à pompe noir, une bouteille d'encre bleue et un cahier cartonné bistre. « Maintenant que tu aimes lire, tu vas pouvoir écrire », décrète Franz. André ôte le capuchon du stylo, observe la plume en or, se dit qu'avec le prix d'un tel objet, sa famille pourrait manger à sa faim un bon bout de temps, qu'il va devoir le cacher dans ses fagots d'osier sous la roulotte.

Le crachin s'est transformé en une pluie froide. « Ce n'est pas un temps pour écrire, dit l'Allemand. Tu ferais mieux de rentrer au chaud maintenant. » André protège ses cadeaux sous son pull en soufflant : « Merci beaucoup. » Il sert la main froide de Franz qui le retient : « Attends, j'ai encore quelque chose, c'est pour madame Marguerite », dit-il en mettant dans la main d'André un minuscule paquet. Le garçon s'en retourne, embarrassé. Il se demande comment Marguerite va accueillir un tel cadeau.

Elle est de dos face à l'évier quand il entre dans la cuisine. « Franz vous a offert quelque chose », dit-il, laconique, en déposant le petit paquet sur la table. Elle continue sa vaisselle, comme si de rien n'était. Puis range ses couverts, sans un mot, dans sa ménagère de mariage. André suit ses mouvements les bras ballants. « Tu devrais y aller, tu sais, dit-elle en empilant ses assiettes dans le buffet. Le temps ne va pas s'arranger et il fera bientôt nuit. » Noël est fini, André chausse ses galoches, enfile son paletot, range ses cadeaux dans ses poches. « Tu pourrais mettre tes nouveaux gants », suggère Marguerite. Le garçon hésite. Il ne peut pas lui dire que chez lui, on n'étrenne pas comme ça des choses neuves, qu'on attend que les vieux habits tombent en guenilles pour en revêtir d'autres, à peine moins usés. Mais aujourd'hui, il met ses gants qui sont comme un luxe incroyable pour lui. Marguerite apprécie en hochant la tête. « Ils te vont bien, peut-être à peine un peu grands. »

André referme la porte sur le gris sale du ciel qui s'assombrit de plus en plus. Marguerite ôte ses bijoux, scrutant le cadeau de Franz sur la table. Elle hésite entre le jeter au feu et l'ouvrir. Puis ricane : « Ce n'est pas tous les jours qu'un boche vous fait un cadeau. » Alors elle déchire rageusement l'emballage et découvre une petite boîte en bois avec des incrustations de nacre dotée d'une petite clé. Quand elle en soulève le couvercle, un mécanisme compliqué muni d'un rouleau en métal joue *Il est né le divin enfant.*

Février 44

C'est une nuit sans lune, humide et froide. Marguerite ferme les volets en frissonnant. Son dos lui fait mal quand elle force pour fermer les fenêtres qui jointent difficilement. À l'usine, les cadences sont infernales entre les alertes qui annoncent les bombardements aériens. Les sirènes hurlent de plus en plus fréquemment. Souvent pour rien. Mais parfois le bourdonnement des avions va s'amplifiant jusqu'à une explosion finale. Du fond du sous-sol où le personnel de l'usine se réfugie, on imagine en silence la cible. C'est souvent du côté de la gare et du dépôt des trains. Les filles ne disent rien, certaines ferment les yeux ; d'autres semblent marmonner une prière. Marguerite songe à André, redoute qu'il soit le long d'une voie ferrée en train de glaner ses bouts de charbon. Dimanche dernier, il lui a montré ses travaux de rédaction avec le stylo offert par l'Allemand. Le cahier est déjà rempli aux deux tiers d'une écriture fine, serrée, sans rature. André recopie les contes de Grimm, des passages de *Sans famille*. « Il s'entraîne », dit-il, pour rédiger un jour ses propres textes. Il voudrait raconter la vie à la roulotte, son enfance en Alsace. Mais convoquer ses propres mots lui coûte, il fait des essais sur des feuilles volantes que lui a données Marguerite et qu'il plie dans son cahier. Il dessine aussi son petit monde de la forêt : un hérisson, une bogue de châtaigne, les petites grappes des chatons de noisetier, sa roulotte. De son travail de lecture et d'écriture, il a dit, l'autre dimanche, à Marguerite : « C'est comme si j'apprenais à marcher. » Elle l'a regardé, songeuse : « Pourquoi tu n'as pas appris tout cela à l'école ? » André a froncé les sourcils, peaufinant en silence sa réponse : « On changeait souvent d'endroit alors quand j'arrivais dans une nouvelle école, on me mettait souvent au fond de la classe. Le maître ne s'intéressait pas à moi ; je ne comprenais pas grand-chose à ce qu'il expliquait. C'était comme si je n'arrivais pas à monter dans un train en marche. Alors, je baissais les bras. Je disais à mes parents que j'allais à l'école mais je m'arrêtais en chemin, le long d'une rivière, dans un petit bois. Et puis il y avait les travaux des champs où mon père se faisait embaucher : je préférais le suivre plutôt que de m'ennuyer en classe. Il me disait que ce n'était pas bien de ne pas aller à l'école mais, au fond, il était bien content que je l'aide pour planter les patates, couper l'osier ou cueillir les asperges. »

Marguerite met deux briques dans le four de la cuisinière. Une pour mettre sous ses pieds dans les draps froids, une autre qu'elle va caler contre ses reins pour soulager son mal de dos. Grelottante de fièvre au fond de la forêt, Raymonde lui avait répété : « Promets-moi que tu prendras soin de toi. » Marguerite avait serré ses mains en jurant, même si, au fond d'elle, elle ne voyait pas l'intérêt de se faire du bien dans sa solitude, quand il n'y a personne pour simplement vous regarder vivre. Même à Noël, elle avait eu l'impression de se déguiser en se pomponnant pour déjeuner avec André. C'est comme si elle était devenue étrangère à son propre corps. Quand elle se lave à l'évier et qu'elle croise le miroir, elle voit une femme grise et taciturne dont le regard semble lui dire « Laisse-moi tranquille, je ne suis qu'une souillon malpropre dans ce monde de guerre ». Sa garde-robe est un musée de vieilles choses qui sentent la naphtaline. Elle ne se souvient plus d'avoir porté ses petites robes à fleurs soigneusement suspendues dans la penderie. Le parfum du petit flacon de Soir de Paris lui donne mal au cœur. Elle n'imagine plus d'autres odeurs que celles de la graisse des machines, du feu de bois, de la soupe claire et du mauvais savon qui a remplacé la savonnette Cadum.

Marguerite remet un gros rondin de foyard dans le foyer de la cuisinière, sort les briques du four, les entoure dans de vieux linges et les place dans le lit. Elle se couche lourdement et éteint la lumière. Il faut du temps avant que le sommeil vienne. Jamais avant onze heures au clocher de l'église. Surtout ne pas penser. Ou alors seulement égrener les banalités du jour à venir : donner de l'eau chaude aux poules ; graisser la chaîne du vélo ; aller faire la queue chez le boucher si jamais il a quelque chose à vendre sans ticket de rationnement ; demander un vieux chiffon au contremaître pour nettoyer la machine à l'usine ; calfeutrer le bas de la fenêtre de la cuisine qui laisse passer le froid ; détricoter un vieux pull de Pierre afin d'en faire un nouveau pour André qui multiplie les épaisseurs pour lutter contre la bise glacée.

Soudain, dans l'obscurité, on frappe à la porte de la cuisine. Trois petits coups secs. Marguerite retient son souffle, immobile dans son lit. Qui peut venir à cette heure ? André ? Raymonde ? Perrin le cheminot ? Humblot le policier ? Tout se mélange dans la tête de Marguerite qui hésite entre la peur et la curiosité. Deux autres coups plus appuyés résonnent contre la porte. Marguerite se lève, pensant que si c'était la police, ou pire, les Allemands, ils l'auraient déjà interpellée en criant du dehors. Dans le noir, elle va jusqu'à la fenêtre et ouvre les volets. Une tête se penche doucement vers elle. C'est Franz. Elle devine qu'il est habillé en civil dans le noir. Il a l'air grave mais pas hostile. « Il faut que je vous voie », souffle-t-il. Marguerite l'observe, incrédule :

« À cette heure ? demande-t-elle.

— Oui, c'est urgent.

— Alors, dites-moi de quoi il s'agit ? ordonne-t-elle.

— Pas ici, vous ne voulez pas me laisser entrer ? » chuchote l'Allemand.

Marguerite hésite. « Je ne vous ferai pas de mal, insiste Franz. C'est au sujet d'André. »

La jeune femme se décide à lui ouvrir, recule quand l'Allemand entre et referme précautionneusement la porte. Elle allume la lampe à suspension qui fait une lumière blafarde dans la cuisine. Franz est debout, appuyé au dos d'une chaise. Il la regarde, préoccupé.

« Alors ? fait-elle en rechargeant sa cuisinière.

— Il faut qu'André et sa famille se cachent plus au fond de la forêt. »

Marguerite se retourne : « Ils sont en danger ?

— En grand danger, madame, on doit venir les arrêter d'un jour à l'autre.

— Qui, "on" ?

— Peu importe qui ils sont. De toute façon, je ne vous ai rien dit.

— Mais pourquoi maintenant ?

— Parce que nous allons bientôt perdre la guerre.

— C'est votre façon de vous venger ? »

L'Allemand se tait une poignée de secondes : « Votre "vous venger" ne me concerne pas, sinon, je ne serais pas ici à cette heure. » Marguerite soupire, agacée :

« Mais vous la faites bien vous-mêmes cette guerre ?

— Oui, mais je n'avais pas le choix.

— C'est facile à dire maintenant que vous nous avez ruinés, que nos maris sont vos prisonniers et que vous déportez et tuez tous ceux qui ne sont pas d'accord avec vous.

— Et vous croyez que je suis d'accord avec tout ça ?

— Je ne sais pas et ce n'est pas mon problème.

— Si, vous devez savoir », martèle l'Allemand avec une pointe de colère qui accentue l'azur de ses yeux.

Marguerite le toise :

« Alors, dites !

— Tous les Allemands ne sont pas nazis. Comme tous les Français ne sont pas résistants et gaullistes.

— Vous n'allez quand même pas me faire croire que vous êtes un résistant ? ironise Marguerite.

199

— Je crois que je suis en train de le prouver, non ?

— Pour vous faire pardonner quand vous serez vaincu, c'est ça, hein ? » siffle Marguerite.

L'Allemand hoche la tête : « Si je ne suis pas mort d'ici là, on me traitera comme les autres. Ni plus, ni moins.

— On remarquera peut-être que vous parlez très bien notre langue, ça pourrait vous servir…

— Je n'ai pas appris le français pour plaire à vos compatriotes.

— Alors, c'était pour servir d'interprète lors des interrogatoires de la Gestapo ?

— Pourquoi vous me jugez ainsi ? »

Marguerite déverse une rage froide : « Parce que vous avez gâché ma jeunesse, ma vie. Parce que vous m'avez privée de l'homme que je venais d'épouser et qu'aujourd'hui, je ne sais même pas si je le reconnaîtrais. Parce que vous avez volé mon bonheur.

— Je ne l'ai pas voulu ainsi, vous savez.

— Mais vous l'avez choisi, votre Hitler.

— Pas moi.

— Alors, vous avez fait quoi pour dire non ?

— J'ai appris le français.

— Vous n'allez quand même pas me faire croire qu'apprendre le Français était une façon de refuser Hitler.

— Si, apprendre votre langue, votre culture, c'était choisir la lumière, la démocratie, la tolérance, votre devise "liberté, égalité, fraternité".

— Vous n'aviez qu'à fuir l'Allemagne.

— Ce n'était pas si simple.

— En attendant maintenant ici, c'est "travail, famille, patrie", fulmine Marguerite.

— Vous n'en avez plus pour très longtemps. Prévenez André au plus vite s'il vous plaît. Maintenant, je dois partir. »

L'Allemand tient la poignée de la porte tandis que Marguerite tisonne son feu. Il voudrait qu'elle lui dise encore un mot, même hostile, mais elle l'ignore. « Je suis désolé de vous avoir ainsi dérangée en pleine nuit. » Silence. Franz sort, scrute l'obscurité et referme doucement la porte.

Marguerite se sent penaude devant sa cuisinière. Une désagréable confusion l'envahit. Elle ne comprend rien à ce soldat allemand plus courageux que la plupart de ses voisins. Elle veut savoir pourquoi il agit ainsi, à prendre des risques qui pourraient le mener au peloton d'exécution. Pourquoi sa retenue et sa curiosité l'intriguent. Il y a aussi son regard franc et un peu triste qu'elle a du mal à soutenir. Ses yeux bleus n'expriment pas la séduction ou le désir ; ils sont chargés d'une affection désarmante. Et puis, jamais elle ne l'a entendu prononcer le moindre jugement. Sa position d'occupant pourrait pourtant l'inciter à imposer ses opinions aux autres. Et il y a cette idée d'apprendre le français pour faire un pied-de-nez au nazisme. Ce n'est pas ordinaire, pense Marguerite en cherchant le sommeil.

Elle sursaute quand son réveil sonne à six heures. Elle doit se dépêcher d'aller prévenir André. Tant pis, si elle arrive en retard à l'usine, elle dira qu'elle est un peu malade. Marguerite s'habille chaudement, traverse le jardin et dévale le talus jusqu'à la voie ferrée. Elle préfère le chemin qu'emprunte André à la grand-route où elle pourrait croiser une patrouille allemande. Une locomotive à vapeur la dépasse doucement, le chauffeur qui pellette le charbon l'observe longuement. Dans le jour gris qui se lève, Marguerite aperçoit un mince filet de fumée au-dessus de la roulotte posée de guingois au milieu de ce nulle part où la famille d'André n'est plus en sécurité. Le garçon vient à sa rencontre en courant. Il est le premier levé car il ne supporte pas l'exiguïté de la roulotte. Quand Marguerite enferme ses deux mains dans les siennes, il comprend aussitôt que quelque chose de grave se prépare. « Il faut que vous partiez d'ici, les Allemands vont venir », dit Marguerite. « Maintenant », ordonne-t-elle avec un air paniqué qu'André ne lui connaît pas. Il fait mine de ne pas comprendre. « Mais ils sont déjà venus », dit-il avec un ton faussement léger. Il désigne un chemin longeant une haie d'aubépiniers. « D'habitude, ils passent là-bas. Sans nous regarder. » Marguerite s'énerve : « Mais tu ne veux donc rien comprendre. La prochaine fois, c'est pour toi et les tiens qu'ils viendront ici, pour vous arrêter. » André hausse les épaules. Marguerite le fixe durement : « Je sais que tu t'occupes bien de ta famille, que tu aides ta mère. Tu es l'aîné et tu n'es plus un enfant. Il y a des choses que tu dois savoir : les Allemands font la même chose aux Gitans qu'aux juifs. » André ramasse un bout de bois et commence à le tailler avec son couteau. C'est vrai qu'en Alsace, ils ont fui avant eux, qu'au centre-ville, il y avait ce couple de commerçants qui lui achetait des paniers. Un jour, il a trouvé la boutique close. Les voisins ont dit à André que ce n'était pas la peine de revenir. Sans plus de détail. Marguerite secoue le bras droit du garçon : « Il faut aller vous cacher encore plus loin, dans la forêt. Tu dois bien connaître des endroits isolés ? » Il fait oui de la tête, une boule de chagrin dans la gorge. Il s'affaire sur son bout de bois en silence. Marguerite cherche ses mots : « Tu verras, tout cela sera bientôt fini, vous pourrez vivre au grand jour sans crainte.

— C'est Franz qui vous a prévenue ? ose André.

— Quelle importance, soupire Marguerite. L'urgence, ce n'est pas de te poser ce genre de question. C'est de trouver un endroit où vous faire oublier. » Il jette son bout de bois et le contemple sur les feuilles mortes, tête baissée.

« Alors on ne va plus se voir ? murmure André.

— Si, bientôt, je t'ai dit, répond Marguerite en s'efforçant de paraître assurée. Allez dépêche-toi maintenant de te mettre en route. » Ils sont face à face, gênés, ne sachant comment se dire au revoir. André esquisse une poignée de mains quand, brusquement, Marguerite l'enlace et l'embrasse sur les deux joues : « Prends soin de toi », murmure-t-elle avant de s'en retourner. Elle hâte le pas pour embaucher à l'usine quand des pas courant dans la gadoue et les flaques d'eau se rapprochent dans son dos. C'est André qui lui tend une feuille de papier : « C'est pour vous, je voulais vous le donner dimanche prochain. » Il repart aussitôt, comme s'il venait de commettre une bêtise. Au verso de la feuille, Marguerite découvre une poésie calligraphiée avec soin à l'encre noire. Elle sourit après avoir lu les premiers mots : « Je fais souvent ce rêve étrange et pénétrant. D'une femme inconnue, et que j'aime, et qui m'aime. » Au bas de la page, André a écrit : « *Mon rêve familier*, de Paul Verlaine, recopié par André pour madame Marguerite ».

Dimanche 21 mai 44

Les dimanches sont longs pour Marguerite depuis qu'André ne vient plus la voir. Elle essaie de se lever le plus tard possible, la tête dans l'oreiller pour ignorer le jour qui vient à travers les persiennes. Aujourd'hui, les rais du soleil annoncent une belle journée de printemps. Marguerite se fait un programme pour tuer le temps : nettoyer le poulailler et les clapiers des lapins ; semer des radis ; butter les rangs de fèves et bêcher la terre pour préparer de nouvelles plantations. Son jardin, c'est sa fierté, le symbole de son autonomie et de son indépendance même si son dos douloureux lui rappelle tous les efforts qu'elle a dû accomplir pour en arriver là. Quand, à l'usine, elle entend les autres femmes dire « il faudrait que nos hommes soient là » à propos du jardin ou d'autres travaux réputés de force, elle a envie de leur répondre qu'il n'y a pas plus de compétences masculines que féminines, qu'elle sait aujourd'hui fendre avec le merlin une bille de bois noueux. Mais elle préfère se taire car elle sait qu'on ne la comprendra pas. Ses voisines de machines, qui aujourd'hui se servent d'un tour ou d'une fraiseuse et savent réaliser un ajustement à la lime, nourrissent un seul espoir : que leurs hommes rentrent et qu'elles puissent réintégrer leur case d'épouses au foyer, disponibles et benoîtes. Marguerite ne peut leur reprocher une telle aspiration : elle voit à quel point toutes ces femmes crèvent de solitude, même celles qui, mariées, s'en sont retournées vivre chez leurs parents.

Mais Marguerite, elle, redoute qu'avec les hommes revienne la soumission. Certes, elle ne l'a jamais connue, mais elle l'a vue sévir dans des couples autour d'elle. À force de privations et d'isolement, une forme de lucidité et un constat irréversibles se sont imposés à Marguerite : les femmes peuvent autant que les hommes. Elle est convaincue que Pierre comprendrait son point de vue. Comme elle ne sait pas s'il est vivant ou mort, elle préfère, le concernant, utiliser le conditionnel plutôt que le futur. Et quand bien même il reviendrait là demain matin, Marguerite ne sait absolument pas comment elle l'accueillerait. En se jetant dans ses bras ? En restant de l'autre côté de la table pour le maintenir à distance ? En lui servant un verre de vin ? En lui faisant faire le tour du jardin avant de l'entraîner dans leur chambre ? Les questions défilent comme des hypothèses, froides, cliniques, depuis que Marguerite est sans nouvelle de Pierre suite à la défaite allemande de Stalingrad. C'est la meilleure façon qu'elle a trouvée pour se protéger de la peur de la mort de l'autre et aussi de la crainte de ne pas le reconnaître. À l'usine, on se repasse comme une légende l'histoire de cette femme qui n'a pas reconnu son mari quand, rapatrié sanitaire, il est revenu du stalag.

On raconte qu'il n'avait plus que les os, qu'il avait vieilli de vingt ans en trois ans, qu'on voyait à travers la peau de ses mains qui étaient comme un parchemin fripé. Sa femme avait eu un mouvement de recul quand il avait voulu la toucher. Il n'avait pas compris sa frayeur, s'était jeté sur elle en aboyant : « C'est quand la dernière fois que tu as eu tes règles ? » Elle s'était enfuie, ne supportant pas un instant de plus cette momie affreuse dont les mains glacées et crochues lui semblaient les serres d'un ignoble rapace. Les voisins avaient entendu les cris du couple, vu la jeune femme sortir suivie d'une sorte de pantin essoufflé, chancelant, qu'ils avaient eu, eux aussi, bien du mal à reconnaître alors qu'il s'étouffait dans son chagrin et sa colère en vociférant : « Je vais me pendre, je vais me pendre. » Aux dernières nouvelles, il serait toujours dans un sanatorium. Sa femme serait retournée chez ses parents.

Marguerite commence par semer des radis. Elle est en train de tracer de longs sillons dans la terre quand les sirènes retentissent. Elle continue de creuser, penchée sur sa pioche, ignorant la menace aérienne. Elle pousse le zèle jusqu'à enlever du chemin le moindre petit caillou de la pointe de son outil. Puis elle dépose les graines. Surtout ne pas trop les serrer. Elle ignore les voisins qui trottinent jusqu'à leurs caves ; les canons antiaériens qui hurlent ; le bourdonnement grandissant des avions se rapprochant. Tout juste, quand elle change de rang, lève-t-elle brièvement les yeux vers le ciel pour se dire que tout cela doit se passer très haut et très loin. Elle compte les espaces entre ses graines dans un nouveau sillon. Sûr, les radis auront de la place pour grossir, se dit-elle avant un énorme coup de tonnerre et une grande gifle d'air et de terre qui lui fouette le visage.

Marguerite est prisonnière d'un brouillard grisâtre qui sent la poudre ; ses oreilles sifflent. Elle se relève, désorientée. Là-bas, il y a son poulailler intact où les bestioles virevoltent et claquent des pattes. À gauche, le bûcher n'a pas été touché non plus. Il n'y a qu'une vitre de la fenêtre de la cuisine qui a volé en éclats quand les battants ont été malmenés par le souffle de l'explosion. La bombe est tombée sur la voie ferrée, ratant les cibles probables que sont l'usine où travaillait Pierre et un dépôt de locomotives.

Marguerite est agenouillée entre ses sillons, tétanisée, à moitié sourde. Elle n'entend pas Franz venir et crier : « Vous n'avez rien ? » Il se penche sur elle, agite ses mains devant ses yeux hagards et répète : « Vous n'avez rien ? » Elle met du temps à le reconnaître sous son casque et éclate d'un rire sardonique : « Vous, vous êtes vraiment mal barré, lâche-t-elle. Déjà que vous dites que la guerre est fichue pour vous ; en plus, vous rappliquez chez l'ennemi quand il est bombardé. Ça ne ressemble à rien, votre armée. »

Le pire, c'est qu'il observe Marguerite d'un air amusé. « En plus, cela vous fait sourire, comment peut-on être soldat et aussi inconscient ? » Il part dans un franc éclat de rire : « Disons que je suis un franc-tireur. » Décidément, ce soldat n'est vraiment pas comme les autres. Sa tête lui tourne alors qu'elle se relève. « Vous voulez mon bras pour vous appuyer ? » propose Franz. Marguerite ferme les yeux en silence puis les rouvre : « Non, ça ira. » Le pire, c'est qu'elle a failli dire oui, et pas parce qu'elle avait besoin de son aide, mais parce qu'elle avait envie de sentir son bras, sa peau. Marguerite en bout intérieurement. Elle n'a fait que serrer les mains d'une poignée d'hommes depuis septembre 1939. Ici, maintenant, elle peut compter sur la force de Franz et sent bien que cela la met dans une position inconfortable : certes, elle n'est pas Josette qui va bientôt accoucher de son amant allemand mais elle ressent désormais un tiraillement quand elle songe à Franz. C'est comme un sentiment doux-amer, une émulsion faite d'enchantement et de culpabilité, qui l'oppresse et la réjouit à la fois. La solitude a vitrifié le désir mais le besoin de bonté, de générosité, de douceur a survécu au tunnel de la guerre. Il était en hibernation mais ne demandait qu'à se réveiller au moindre souffle d'humanité. À l'usine, dans les vestiaires, alors qu'elles étaient en train de se changer, des filles plaisantaient parfois sur le sexe en se désignant l'entrejambe ou en se rapprochant les seins : « Je veux mon homme » ; « Je veux un homme, je veux une queue », criaient-elles en riant. Invariablement, l'une d'elles lançait : « Tu n'as qu'à manger les biscuits du contremaître ! » Et l'on repartait dans un grand éclat de rire. On aurait dit des blagues de chambrée de garçons. Marguerite s'amusait de ces brefs chahuts qui rompaient la monotonie du quotidien mais elle n'adhérait pas aux revendications sexuelles des autres. Elle voulait simplement de l'affection, un regard complice, une parole tendre, une main dans la sienne ou dans le creux de son épaule à l'heure du sommeil. Le désir, les caresses appuyées, la pénétration, la jouissance, ce serait pour plus tard, songeait-elle. Elle ne partageait pas la trivialité de ses camarades d'usine mais elle la comprenait : la guerre avait supprimé toute fioriture dans le désir ; les prémices n'existaient plus. Sans doute à cause de l'incertitude du lendemain qui faisait du passage à l'acte un impérieux devoir d'aujourd'hui.

« Je peux vous réparer votre vitre brisée ? » propose Franz. Marguerite s'entend dire à contrecœur « Non, merci ». Sa réponse sonne faux, l'Allemand le sait bien : « Je viendrai à la nuit, vous fermerez vos volets. Personne ne saura que je serai chez vous. » Là, cette fois, Marguerite se sent franchement joyeuse. Et la réparation du carreau n'y est pour rien.

Lundi 22 mai 44

Marguerite regarde les doigts de Franz appliquant minutieusement du mastic sur la vitre qu'il vient de changer. Elle est assise derrière lui et compte les clous de vitrier qu'il n'a pas utilisés. Tête baissée, elle demande :

« Vous êtes marié ?

— Oui.

— Vous avez des enfants ?

— Non.

— Pourquoi ?

— Parce qu'ils ne sont pas venus.

— Vous dites cela comme si ça allait de soi.

— Vous avez peut-être raison. Je n'en voulais pas spécialement.

— Pourquoi ? C'est normal d'avoir des enfants quand on est mariés. »

Franz arrête son ouvrage et se retourne, affichant une mine ironique : « Vous êtes bien curieuse, chère madame.

— Ce n'est pas tous les jours qu'un soldat allemand répare un carreau chez moi. Et puis quand je vous ai vu avec André, je me suis dit que vous deviez avoir des enfants.

— Eh bien non », lâche Franz d'un air agacé en continuant de lisser son mastic. Il se retourne à nouveau et fixe longuement Marguerite en silence. Comme s'il prenait son élan pour parler. « Il faisait froid et faim dans la soupente où j'ai grandi. Mon père est mort à Verdun avant ma naissance. Ma mère a fait comme elle a pu pour m'élever dans l'Allemagne de la défaite. Jamais je ne voudrais imposer une telle vie à un enfant.

— Et votre femme, elle n'est pas malheureuse de ne pas avoir d'enfant ?

— Je suis parti depuis trop longtemps pour savoir ce qu'elle pense. » Franz fixe la vitre devant lui, le regard vide.

« Elle vous manque ? »

Franz tapote à nouveau le carreau.

« Et vous, votre mari, il vous manque ?

— C'est moi qui pose la question », ordonne Marguerite d'un ton sévère.

Franz cogne avec son index droit sur tout le pourtour de la vitre ajustée à la fenêtre et esquisse un sourire.

« Pourquoi vous souriez ? demande Marguerite.

— Si on m'avait dit qu'un jour, je réparerais une fenêtre brisée par un bombardement ennemi dans une maison française…

— Je ne vous ai rien demandé, s'énerve Marguerite. Alors, votre femme ?

— Oui, il y a des jours où elle me manque. Plutôt des instants d'ailleurs, surtout le soir quand elle voulait que je lui traduise ce que j'étais en train de lire en français.

Verlaine surtout. J'avais l'impression qu'elle s'intéressait à ce qu'elle appelait "mes manies". Et puis, il y a des jours où je me dis que cette guerre devait nous séparer définitivement, pour qu'elle refasse sa vie, qu'elle puisse être heureuse avec quelqu'un d'autre.

— Pour vous, elle n'était pas heureuse ? »

Un long silence s'installe. Franz gratte un rogaton de mastic sur la vitre. « Vous me passeriez une feuille de papier journal pour que je finisse de nettoyer votre fenêtre, demande-t-il.

— Ce n'est pas à vous de le faire. Laissez », dit Marguerite en ouvrant sa caisse à bois où elle déchire un morceau de papier journal avec lequel elle frotte la vitre. Franz recule mais il laisse son odeur. Il sent la lavande, c'est la première fois qu'elle sent un tel parfum fleuri chez un homme. « Je suis sûr que votre mari va revenir, dit-il tranquillement.

— Vous êtes devin ?

— Personne ne pourrait abandonner une femme comme vous. »

Marguerite fronce les sourcils : « Pourtant, c'est le contraire qui se produit. À cause de vous.

— Si ça ne tenait qu'à moi, les prisonniers seraient déjà tous rentrés chez eux.

— Trop facile de dire ça.

— Ne vous trompez pas, c'est l'Allemagne qui va perdre la guerre, votre mari rentrera. Voilà, votre fenêtre est réparée. »

Il a dit cela doucement, sans calcul. En finissant d'astiquer ses vitres, Marguerite songe à lui offrir des cerises à l'eau-de-vie. Une brève hésitation et elle se lance sans le regarder : « Vous voulez boire quelque chose ? » L'Allemand jette un œil à sa montre : « Non, je dois y aller. » Marguerite est déçue mais elle s'efforce de ne rien montrer. Franz l'a compris : « Alors juste un petit quelque chose. » Il sourit en la regardant déboucher son bocal de cerises : « Vous serez prudente cette année en montant sur l'arbre, hein ? » Elle se tait comme si elle ne l'avait pas entendu. Il finit de grignoter un fruit : « Il faut prendre soin de vous. Regardez André, il vous a écoutée pour déménager sa famille et leur roulotte.

— Je n'ai aucune nouvelle de ce gosse. Et vous ?

— Il va bien, vous pouvez être rassurée.

— Comment pouvez-vous en être sûr ?

— Je le sais.

— Comment puis-je vous croire ?

— Vous allez bientôt le revoir.

— Pourquoi êtes-vous si attaché à ce garçon ? »

Franz fixe l'abat-jour au-dessus de la table : « Je peux fumer ?

— Oui. »

Il allume une cigarette et souffle une longue bouffée de tabac brun qui chavire Marguerite. C'est le parfum de la vie avec Pierre qui lui revient.

« Je crois qu'André me rappelle moi enfant.

— Comment cela ?

— J'ai l'impression que nous avons partagé la même solitude.

— Vous savez bien qu'il a une famille ?

— Cela n'empêche pas la solitude, surtout dans cette guerre.

— Pourquoi lui avez-vous offert des livres et un stylo ?

— Parce que j'aurais voulu venir ici autrement qu'avec un uniforme et un fusil. Parce que je voulais aider André à lire et à écrire. J'espère qu'ainsi il se débrouillera mieux dans la vie.

— Vous en parlez comme si c'était votre fils... »

Franz balaie cette dernière réplique d'un revers de la main.

« Vous vous trompez, imaginer avoir un enfant en temps de guerre, c'est une pure folie.

— Vous êtes un drôle d'homme.

— Comment ça ?

— Vous êtes trop raisonnable pour un homme.

— Pardon ?

— Comment un homme peut-il décréter qu'il n'aura pas d'enfant quand on connaît le, euh... vous voyez ce que je veux dire... masculin.

— Vous voulez parler du fonctionnement des hommes ?

— Oui, c'est cela », confirme Marguerite, rougissante. Pour se donner une contenance, elle lui propose d'autres cerises. Il tend sa tasse.

« Et ce Paul Verlaine que vous faites apprendre à André, c'est qui ?

— Mon vieux compagnon de route.

— Racontez-moi, je n'ai pas été beaucoup à l'école.

— Un poète qui ne vous lâche plus quand vous le découvrez. La première fois que j'ai lu *Mon rêve familier*, j'ai tout de suite compris que ce poème ne me quitterait plus.

— Pourquoi ?

— À cause de sa musique.

— De quelle musique parlez-vous ?

— Écoutez : "Je fais souvent ce rêve étrange et péné-trant d'une femme inconnue, et que j'aime, et qui m'aime et qui n'est, chaque fois, ni tout à fait la même, ni tout à fait une autre, et m'aime et me comprend." C'est comme lorsque vous avez une chanson dans la tête », dit Franz en consultant à nouveau sa montre. « Cette fois, je dois m'en aller. » Il se lève et vérifie une dernière fois l'état du mastic sur la fenêtre. « Il vous faudra attendre pas mal de temps avant de repeindre dessus, explique-t-il. Qui sait, vous serez peut-être libérée d'ici-là. » Margue-rite reste impassible. Il saisit la poignée de la porte, se retourne, regarde la lampe de la cuisine :

« Vous devriez éteindre le temps que je sorte.

— Pourquoi ?

— À cause des voisins. Je n'ai pas envie qu'ils sachent qu'un Allemand est venu chez vous.

— Ça m'est égal. Je me moque de ce qu'ils peuvent penser. Dans le quartier, personne ne s'est soucié de moi depuis quatre ans. Sauf Germaine, elle habitait en face. Maintenant, je vais la fleurir au cimetière.

— Je suis désolé.

— Vous n'avez pas à être désolé. Rester une femme seule dans un pays en guerre, ça vous attire forcément des regards de travers.

— Je comprends. Maintenant, s'il vous plaît, éteignez que je sorte. »

Elle éteint. Ils sont tous les deux dans le noir. Elle entend son cœur battre. Elle voudrait que cet instant s'éternise mais il lui murmure « Bonsoir », ouvre la porte sur la pleine lune et une odeur de terre retournée. Il est une ombre élégante, fugitive, qui contourne la maison. Marguerite s'assoit sur le seuil de sa cuisine et hume cette étrange nuit.

Juin 44

À l'usine, les filles ne parlent que de ça : les alliés ont débarqué en Normandie. Marguerite les regarde chuchoter, aller et venir dans les allées, se planquer derrière les machines pour discuter et, parfois, exploser de rire. Marguerite reste dans son coin, vissée à sa perceuse à colonne. De toute façon, elle, personne ne vient la voir, trop solitaire, trop silencieuse qu'elle est. Elle perce des trous comme un automate, évacue machinalement les copeaux avec son pinceau. À vrai dire, le débarquement l'a prise de court, comme ces giboulées qui vous rincent parfois en plein soleil, ces accidents imprévisibles de la vie que sont une mort subite, une collision sur la route. Marguerite aurait voulu se préparer au débarquement comme on mûrit un événement qui vous tient à cœur : aussi modeste fût-il, la préparation de son mariage l'avait occupée de longs mois jusqu'à l'été 1939. Y penser, c'était déjà du bonheur. Alors qu'ici et maintenant, ce débarquement suscite en elle une impression inconfortable : désormais, Marguerite voit la vie qu'elle s'est fabriquée depuis septembre 1939 lui échapper. Cela a commencé il y a quelques jours, quand le contre-maître l'a convoquée dans son bocal à la pause de dix heures. En s'y rendant, Marguerite était d'autant plus intriguée qu'elle n'avait jamais cédé à ses avances. Mais cette fois, il n'était plus question de pelotage mais de l'avenir : « Quand tout sera terminé, on aura besoin de filles comme toi pour reconstruire le pays, minaude le contremaître. Il y aura beaucoup de travail, tu pourrais prendre du galon à l'atelier. Qu'en penses-tu ? » Marguerite ne cache même pas son mépris :

« Je n'en veux pas, de votre poste. Donnez-le à des filles qui en auront plus besoin que moi.

— Tu veux redevenir femme au foyer ?

— Ça ne vous regarde pas, rétorque sèchement Marguerite.

— Je ne voudrais pas t'inquiéter mais ton mari n'est pas encore rentré d'Allemagne, siffle le contremaître. S'il rentre…

— Vous êtes encore pire que je pensais », lâche Marguerite.

Il la toise d'un air narquois alors qu'elle quitte son minuscule bureau à reculons, prise de nausée face à cet homme pervers et opportuniste qui est passé entre toutes les gouttes de l'Occupation. Elle voudrait lui dire qu'à l'heure actuelle sa décision ou pas de rester à l'usine ne dépend pas du retour de Pierre dont elle est sans nouvelle depuis un an et demi. Ce n'est pas tant la question de savoir s'il est en vie ou mort qui hante Marguerite mais la difficulté qu'elle a à percevoir si des changements s'opèrent ou pas en elle depuis le débarquement du 6 juin. Alors, elle s'écoute, se scrute, se jauge à l'aide de ces petits rites qui ponctuent son existence depuis cinq ans. Elle ouvre l'armoire de leur chambre, regarde les vêtements de Pierre soigneusement pliés et rangés. Dans les premières semaines de la guerre, elle les a maintes fois repassés en se disant que son homme allait bientôt rentrer. Puis quand elle a su qu'il était prisonnier, elle les palpait, les humait pour tenter de combler le manque de lui. Elle a connu ensuite la mélancolie, la nostalgie dans sa maison vide, dans les nuits froides et dans les matins silencieux où elle ouvrait cette armoire pour y prendre son linge. Enfin, quand les sentiments et le désir ont laissé place au souvenir, quand les traits de Pierre se sont estompés dans sa mémoire, lui demandant un effort pour renouer avec son visage, Marguerite s'est mise à éviter cette armoire, comme on délaisse une tombe en friche. Elle ne l'ouvre plus que par nécessité, le regard fixé sur ses propres vêtements. Et quand elle avise ceux de Pierre, elle croit voir les reliques d'une vie ancienne dont elle est incapable aujourd'hui de savoir si elle est encore possible.

L'autre jour, Marguerite s'est réveillée en sursaut au milieu de la nuit après avoir rêvé qu'un homme était couché à côté d'elle. Elle a tâté les draps rêches et tièdes en songeant que personne n'avait dormi avec elle depuis quatre ans et demi. Ce n'était d'ailleurs pas un constat triste, juste une réalité à laquelle elle s'était adaptée. Après son rêve, Marguerite s'est demandé si elle aurait du plaisir à dormir à nouveau blottie contre Pierre. La réponse n'est pas venue. Elle s'est d'abord dit que sa question était trop précise, en ces temps incertains où les interrogations étaient un peu comme des bouteilles que l'on jette à la mer, confiées au hasard des flots. Et puis Marguerite a regardé son lit comme une page blanche. L'image de Franz a surgi, délicate comme une esquisse au crayon. Il était de profil, tendre et rêveur. Marguerite n'a pas cherché à éloigner cette vision. Au contraire, elle a voulu comprendre comment elle était arrivée là, un peu comme on tombe sur un coquillage sur une plage. Elle ne s'est sentie ni coupable ni honteuse. Juste intriguée par cette évidence qu'était la présence soudaine de Franz dans son lit. Elle a voulu cerner davantage cette image, un peu comme on se rapprocherait de quelqu'un pour un premier baiser. Elle a humé l'air en songeant à lui avec un léger frisson qui a grossi au fur et à mesure que son odeur, sa peau, ses cheveux, ses bras devenaient de plus en plus prégnants. Ainsi il était bien là dans son imagination, dégageant une infinie tendresse, une bonté sans calcul. Même sa façon d'occuper le matelas rappelait son tact et sa délicatesse. Il dormait les bras le long du corps, rivé au bord du lit, comme quelqu'un qui ne veut pas déranger, qui reste sur le seuil d'une maison. Plusieurs centimètres le séparaient de Marguerite mais il retenait son souffle pour qu'elle ne le sente pas. Elle qui l'imaginait éveillé, ses yeux d'azur parfois grands ouverts, posés sur elle. Il était le veilleur de ses nuits, un frère de solitude, celui qui avait compris et respectait son cheminement depuis cinq ans. Parfois, ils faisaient silence dans la nuit, ils n'avaient pas besoin de se parler pour saisir l'humeur, les pensées de l'autre. Marguerite n'avait jamais imaginé une telle complicité avec un homme. Elle lisait en son Pierre mais c'était à sens unique car il était bien trop assuré de leur amour pour s'inquiéter de ses pensées à elle. Avec Franz, c'était une sorte d'apprivoisement mutuel. Ils avaient dépassé le face-à-face de la guerre pour aller vers un autre horizon : elle n'aimait pas cet homme comme elle aimait Pierre avec qui elle avait décidé de se marier, de faire sa vie. Et pourtant, il y avait entre elle et l'Allemand un lien invisible mais puissant qui la dépassait.

Juillet 44

Il a glissé un minuscule bout de papier dans la serrure de la porte : « *Je viendrai ce soir.* » Marguerite a lu et relu ses mots en rentrant de l'usine. Elle ne sait pas quoi penser : Franz vient-il pour lui parler d'André comme il l'avait promis ? Lui annoncer autre chose ? Qu'il doit partir ? Qu'il veut lui dire adieu ? Qu'il aurait aimé la rencontrer, ailleurs, dans une autre vie ? Les questions fusent et s'embrouillent dans la tête de Marguerite. Elle fait des allers et retours entre la cuisine et le jardin en soupirant, triant une salade, arrosant un semis. Elle est à la fois perdue et énervée par cette confusion qui l'assaille. Elle gratte mécaniquement la terre avec son couteau économe pour repiquer une pousse de laitue. « Ma fille, il faut que tu te reprennes », s'ordonne-t-elle à elle-même. Mais elle sent bien qu'elle est aussi fébrile que pour un premier rendez-vous.

Marguerite n'a jamais vécu ce genre de situation. Avant, il n'y avait eu que Pierre. Simple et évident comme son franc-parler, comme leur amour. Au premier regard, elle avait su que c'était lui. C'était tellement logique pour elle que Marguerite avait accueilli sans un instant d'hésitation sa demande en mariage. Il lui avait tout dit dès ce dimanche où ils étaient allés se promener le long de la rivière : qu'elle était la femme de sa vie, qu'il voulait l'épouser. On lui avait pourtant prédit que les hommes parlaient toujours comme ça quand ils voulaient vous mettre dans leur lit. Marguerite n'avait eu cure des mises en garde à propos de ces gars qui vous abandonnent aussi vite qu'ils vous ont promis la lune car Pierre lui inspirait une confiance sans faille. Il lui avait raconté sans détours qu'il « avait fait sa vie avant » mais qu'il n'avait jamais eu envie de se marier avec une autre qu'elle. Marguerite s'était senti choisie par cet homme rassurant et fort qui vivait ses sentiments comme le reste de sa vie, avec droiture et sincérité. Pierre l'aimait comme il aimait rouler sa première cigarette, fendre du petit bois, bêcher son jardin, fabriquer une pièce à l'usine, avec ferveur et attention mais sans poser de question.

« Ce soir, il va venir », se répète Marguerite et, plus elle y pense, plus elle tourne en rond. Comment accueillir cet homme qui parle le français comme un livre, lui déclame cette poésie inconnue qui la tourneboule ? Ce soldat allemand qui ne ressemble pas aux autres, qui vous raconte beaucoup de sa vie mais à bonne distance ? Marguerite piétine jusqu'à l'instant où lui reviennent, fulgurants, les mots de Raymonde : « Fais parler ton ventre, ton intuition, quand les hommes te désarment. » C'était à l'été 40, quand Marguerite lui avait raconté comme elle était tombée nez à nez avec un soldat allemand alors qu'elle coupait de l'herbe pour ses lapins.

Raymonde avait beaucoup ri en écoutant son récit. Marguerite avait accueilli son conseil avec stupeur : « Comment ça, faire parler mon ventre ? » Raymonde avait secoué la tête : « Tu comprendras vite avec les temps qui s'annoncent. Le ventre, c'est ton second cerveau, celui qui dicte ta vie quand la tête ne sait pas quoi penser. »

Marguerite est debout sur le seuil de la cuisine dans le soir qui vient. Elle ôte son tablier qui tombe à ses pieds ; elle met les mains sur son ventre et ferme les yeux en inspirant profondément l'air qui sent le tilleul en fleurs. Au début, elle ne sent rien puis une douce chaleur monte dans ses doigts et irradie tout autour de son nombril. C'est une sensation joyeuse qui l'invite à aller cueillir les premières fraises, à chercher dans le fond du buffet l'unique bouteille de vin de Bourgogne qui dort depuis l'été 39. Tant pis s'il est un peu bouchonné, on y trempera les fraises. Elle va aussi ouvrir sa penderie pour retrouver sa robe à petites fleurs mauves et blanches qu'elle n'a pas portée depuis l'automne 39. Elle ouvre aussi le tiroir de sa table de nuit où elle conserve encore dans un flacon quelques gouttes de Soir de Paris. Ce soir, Marguerite ne songe pas un instant que la guerre va finir, qu'elle va se pomponner pour un futur vaincu, une de ces ombres grises et sinistres qui lui ont volé les plus belles heures de sa jeunesse, l'homme qu'elle a épousé dans l'insouciance alors que la guerre était à sa porte.

Elle attend maintenant Franz dans le noir, assise à sa table de cuisine, la porte grande ouverte sur la nuit tiède. Quelques pas légers sur le gravier et le voilà sur le seuil. Il s'immobilise dans l'obscurité. Elle se lève sans hâte, vient à sa rencontre et lui prend la main gauche qui est aussi douce qu'elle l'imaginait. Elle perçoit un léger tremblement dans ses doigts qui se laissent enlacer tandis qu'elle referme la porte. Elle veut allumer la lampe mais il la retient : « Non, pas tout de suite, demande-t-il. D'abord, je tiens ma promesse, j'ai quelque chose pour vous. » Il lui passe l'anse d'un panier en osier : « C'est de la part d'André. Des merises qu'il a cueillies pour vous dans la forêt. » Marguerite pose le panier sur la table dans le noir, cherche le bouton de la lampe mais Franz la retient encore :

« Je préfère la nuit, dit-il doucement.

— Pourquoi ? souffle-t-elle.

— Parce que c'est notre nuit », murmure-t-il.

Août 44

Le faubourg est désert dans le petit matin. Marguerite nourrit ses lapins en regardant l'horizon vers l'ouest d'où provient un grondement sourd. On dirait l'orage quand il est au loin. Toute la nuit, elle a entendu le va-et-vient des camions de l'armée allemande. La rue est silencieuse depuis l'aube, les volets restent clos mais on guette, on cause derrière les persiennes. Marguerite a entendu son voisin le plus proche dire : « Ils seront là dans la journée. » Le tonnerre en provenance de l'ouest se rapproche. Marguerite distingue maintenant le bruit intermittent de la mitraille. Elle est accroupie entre deux rangs de haricots qu'elle cueille machinalement avant de les déposer dans le panier d'André. Elle n'a pas peur. Un temps, elle a redouté de mourir. Pas pour elle-même car sa propre mort ne l'effraie pas. C'était pour Pierre qu'elle redoutait de disparaître. Elle imaginait son chagrin au retour du stalag, si d'aventure, elle mourait. Et puis son appréhension s'est mue en une forme de résignation, elle s'en est remise au destin face à cette guerre qui la dépassait. Longtemps, elle s'est demandé si tout était écrit d'avance dans sa vie, indécise sur sa marge de manœuvre, son libre-arbitre. Ses années de solitude, le quotidien rêche qu'elle s'est modelé ont pu lui donner l'illusion qu'elle était décisionnaire de son existence. Mais ce qu'elle a vécu avec Franz a rebattu les cartes. Une histoire aussi imprévisible, impensable ne pouvait être que l'œuvre du destin mais elle refusait l'idée d'une force supérieure ayant décidé de leur sort.

Durant la seule nuit qu'ils ont passée ensemble, Franz lui avait demandé si elle croyait en Dieu. Elle avait répondu que Dieu n'existait pas, sinon, il n'aurait pas laissé faire cette guerre avec son lot de massacres, de souffrances et de haines, il n'aurait pas laissé graver son nom – « Dieu est avec nous » – sur les ceinturons des soldats allemands. Franz lui avait expliqué qu'il avait honte de porter cette devise mais qu'il croyait en un Dieu qui les avait choisis pour faire se rencontrer leurs destins. Marguerite l'avait écouté, dubitative, elle n'aimait pas cette explication : « C'est donc à cause de Dieu que ma copine Josette est tombée enceinte d'un Allemand qui l'a ensuite abandonnée ? » Il l'avait fixée, songeur : « Peut-être que Dieu nous montre la direction d'un chemin que nous ignorions en nous laissant le choix de l'emprunter ou non.

— Alors, il faut être deux pour emprunter la même route », avait décrété Marguerite avant d'enchaîner sur une autre question. Que ferez-vous quand les Américains libéreront la ville ?

— J'attendrai de savoir que vous serez en sécurité.

— Et après ?

— C'est la guerre qui décidera.

— Vous allez vous battre contre des Français après ce qui nous est arrivé ?

— Je ne le veux pas mais je n'aurai peut-être pas le choix.

— À vous écouter, vous n'êtes responsable de rien, c'est la guerre qui décide », avait protesté, agacée, Marguerite.

Franz avait esquissé un sourire un peu las : « Disons que s'il n'y avait pas eu la guerre, je ne serais pas là en train de vous parler. » Marguerite avait haussé les épaules : « Mais vous dites que c'est Dieu qui décide ? » Franz l'avait écoutée en faisant le tour de son bol de fraises au vin avec sa cuillère. « Il nous ouvre des horizons. Maintenant, je sais que même si demain, je suis mort ou prisonnier, j'aurai aimé au moins une fois dans ma vie. » La pudeur de cet homme avait renforcé son aveu. Ses mots avaient donné le vertige à Marguerite. Elle n'était pas prête à recevoir une telle déclaration. Elle avait trop vécu dans le vide depuis bientôt cinq ans pour accueillir un tel sentiment. La sincérité de l'Allemand l'émouvait mais elle se sentait encore trop anesthésiée pour y répondre.

Pourtant, au fil des heures passées ensemble, son cœur lui semblait être sorti d'hibernation. Durant cette nuit, ils étaient restés attablés dans la cuisine, lui se livrant comme jamais il ne l'avait fait, elle l'écoutant beaucoup et parlant peu. Chacun, secrètement, avait compté les heures au clocher qui les rapprochaient de l'aube et de la séparation. Franz avait entamé une course contre la montre pour tout dire de son amour à Marguerite. Il était un peu comme ces voyageurs qui bourrent leurs effets dans une valise trop petite. Marguerite n'avait pas quitté ses yeux d'azur ; c'était sa façon d'exprimer par le regard les mots qui ne pouvaient pas sortir de sa bouche, bloqués par le silence de sa longue solitude. D'elle, Franz n'avait entrevu qu'un être en cours de métamorphose, comme un papillon dans sa chrysalide. Au dernier tournant de cette guerre, encore une fois, le destin de Marguerite empruntait des méandres inconnus. L'Allemand était entré dans sa vie comme on monte sur le marchepied d'un tramway qui roule sans qu'on sache dans quelle direction il va. Elle vivait ce voyage au jour le jour sans attente du lendemain. Certes, Franz ne lui promettait rien mais elle sentait en lui la fébrilité de celui qui veut bâtir sur des sables mouvants. Elle aurait aimé le rassurer mais elle en était incapable. Elle contemplait cet été 44 comme une béance, un champ à découvert sur lequel elle cheminait sans but, se raccrochant à son ouvrage quotidien.

Ainsi, ce matin, la voilà qui équeute ses haricots alors que la ville est en passe d'être libérée. La joie et la peur hantent toutes les maisons du faubourg. On a confectionné des petits drapeaux tricolores que l'on agitera au passage des premiers libérateurs. Les résistants de la dernière heure vont sortir leur vieux fusil de chasse cachés dans les greniers et les fonds des caves pour les brandir dans les rues. Marguerite ignore cette agitation. Elle regrette presque de ne pas pouvoir aller à l'usine passer sa blouse grise, écouter les machines démarrer une à une, serrer sa première pièce dans l'étau puis répéter tous ces gestes mécaniques qui lui anesthésient le cerveau. Elle est en train de blanchir ses haricots quand le passage du premier char fait trembler les vitres. Elle va, sans hâte, à la fenêtre qui donne sur la rue où des soldats américains marchent derrière un Sherman roulant au pas. Ils ont l'âge de Marguerite. Leur assurance tranquille contraste avec l'agitation qui grandit devant les maisons. Les volets et les portes claquent. On crie « Vive la France », les GI sont salués par une succession de hourras qui se répandent dans le bourg comme une traînée de poudre. Marguerite, elle, ne dit rien, ne chante rien, ne fait aucun geste. Elle observe ce maelstrom comme un spectacle étranger. Un rouquin sourit sous son casque devant sa mine impassible. Marguerite referme sa fenêtre d'un geste machinal comme quelqu'un qui dirait « c'est fait » après avoir assisté à une scène attendue. Elle s'en retourne en cuisine où elle aligne minutieusement ses haricots à sécher sur un torchon étendu sur la table. Elle n'entend pas Franz arriver sur le seuil. Ce matin, il paraît immense dans sa tenue de combat. Il incarne un de ces soldats qui transpirent l'inhumanité quand ils montent au feu. Le dos de Marguerite tressaille quand il se racle la gorge pour signifier sa présence. Elle se retourne et ouvre de grands yeux face à cette silhouette martiale. Un long moment, ils restent en silence face à face, Marguerite tordant nerveusement un haricot entre ses doigts. Puis Franz inspire longuement, comme s'il allait prendre son élan. Il ébauche « Je suis venu vous dire… » quand elle s'approche brusquement de lui en plaquant sa main sur sa bouche.

« Ne dites rien », murmure-t-elle. Elle retire sa main, se sent minuscule dans les bras qui l'enlacent, les lèvres qui se rapprochent des siennes. Ils s'embrassent longuement, vivant tout le souffle de cet unique baiser. Elle a les yeux mi-clos. Un coup de feu puis un autre claquent dans le bourg. C'est comme une dague piquant le cœur de Marguerite. « Va-t'en maintenant », gémit-elle. Elle sent deux mains chaudes qui pressent les siennes, comme pour faire passer d'ultimes mots. Franz recule, sans la quitter des yeux. Sur le seuil de la cuisine, il est sur le point de parler quand Marguerite lui interdit encore d'un hochement de tête. Il hésite, puis se retourne, tourne la tête à droite et à gauche et s'enfuit par le jardin.

Un goût salé envahit les lèvres de Marguerite. Elle se sent pleurer dans le silence de sa cuisine où elle continue de préparer ses haricots qu'elle dispose comme ces petites bûchettes de noisetier avec lesquelles elle avait appris à compter, enfant. Elle voudrait être petite fille, être encore tout ignorante des hommes et de la guerre. Mais elle se sent lourde de ces cinq dernières années de plomb, indifférente à la clameur de bonheur de la rue. Elle ne voit que le vide de l'horizon derrière son jardin où Franz a disparu. Désormais, c'est comme s'il n'avait jamais existé. Elle croit avoir rêvé cet homme comme on rêve d'un amour impossible, d'une histoire absurde, d'un être chimérique. Elle caresse ses lèvres avec ses doigts qui sentent le haricot. Non, ce baiser n'a jamais existé, il est le fruit de son imagination, de son manque d'amour, de volupté, de cette solitude qui vous râpe le cœur et l'âme comme une pierre ponce. Elle frissonne dans la chaleur d'août, croisant ses mains glacées sur son ventre dur quand une brève rafale de pistolet-mitrailleur déchire le silence au fond du jardin.

Marguerite sait déjà quand elle se met à courir. Elle fend les haies de groseilliers et de framboisiers. Elle foule pieds nus l'herbe du talus surplombant la voie ferrée. Là-bas, sur le ballast, Franz est étendu sur le ventre, un rond de sang auréole son dos. Deux gamins, guère plus vieux qu'André, armes à la main, entourent son cadavre. Ils voient venir Marguerite comme des braconniers pris en faute, tout à la fois narquois et piteux. Marguerite est en nage, habitée par une bouffée brûlante de colère. Elle bute contre un rail avant de hurler d'une voix rauque : « Pourquoi ? » Un gamin baisse la tête, l'autre hausse les épaules. Marguerite lève les yeux au ciel puis s'écroule en larmes à côté du corps de Franz et enlace sa tête qui lui semble déjà froide et pendante, comme celle d'un animal mort. Elle n'entend rien quand l'un des garçons lui lance d'une voix haineuse : « Putain. »

Été 45

La forêt n'a plus de secret pour Marguerite. Elle en connaît tous les recoins depuis qu'elle s'y est réfugiée, accueillie par André et sa famille. Ici, personne ne la juge. On s'est serrés dans le fond de la roulotte pour lui faire une place au cœur de l'hiver. André lui a appris à poser des collets à lapins, à planter des pommes de terre dans le sous-bois, à fabriquer un sifflet dans un morceau de saule. Tous les matins, elle démarre le feu dans le petit poêle en fonte posé devant la roulotte et écoute la bouilloire murmurer en fumant une cigarette de gros tabac que l'on roule dans le papier que l'on trouve. Ses cheveux ont repoussé sous le foulard bigarré qui recouvre sa tête, mais Marguerite ne veut pas les voir dans le bout de miroir accroché à l'intérieur de la roulotte. C'est comme une vilaine cicatrice qu'elle ne voudrait pas toucher. Raymonde a beau l'encourager à sortir du bois, lui répéter que, désormais, les gens sont las de vengeance, qu'elle est sous la protection de l'inspecteur Humblot qui a sauvé des vies en feignant la collaboration avec les Allemands, Marguerite continue de tourner le dos à la ville. Pour elle, demain n'existe pas, même si la guerre s'est officiellement achevée le 8 mai avec la victoire des Alliés. Une fois, au détour d'une sommière, elle a croisé un groupe de prisonniers allemands en train de débarder du bois. Elle a songé que Franz aurait pu être parmi eux. C'était comme un rêve dans un autre rêve, celui d'un homme qui l'avait aimée et protégée jusqu'à en mourir. Plus que le souvenir de son propre crâne glabre, c'est celui de la tête inanimée de Franz qui hante Marguerite. Elle pleure beaucoup la perte de cette vie quand, comme ce matin, elle marche au milieu des fougères, parmi les chants des oiseaux et les rameaux frémissants qui lui rappellent le monde des vivants.

Le panier de Marguerite est rempli de chanterelles. Elle se surprend à vouloir ôter son foulard pour y mettre d'autres champignons. Puis elle se ravise et rejoint un chemin creux. Une auto noire s'arrête dans un virage à un centaine de mètres devant elle. Un homme descend. Il est maigre et gris et s'assoit doucement sur une bille de chêne. Il est trop loin pour que Marguerite le reconnaisse. De toute façon, elle a pris l'habitude de détourner le regard et de s'éloigner quand elle croise un bûcheron en forêt.

Elle a beau avoir le nez dans son panier de chanterelles, elle sent que l'homme l'épie au fur et à mesure qu'elle se rapproche. Elle s'apprête à enjamber un fossé pour s'enfoncer dans le taillis quand elle entend prononcer son prénom : Marguerite. Elle reconnaît cette voix malgré la lassitude dont elle est empreinte. La jeune femme lève brusquement la tête dans sa direction. Pierre la dévisage. En silence. Puis lui sourit.

Achevé d'imprimer
à Noyelles-sous-Lens
pour le compte de France Loisirs,
31 Rue du Val de Marne
75013 PARIS

Imprimé en France
Dépôt légal : décembre 2017
N° d'édition : 91120